県庁の星

桂 望実
Nozomi Katura

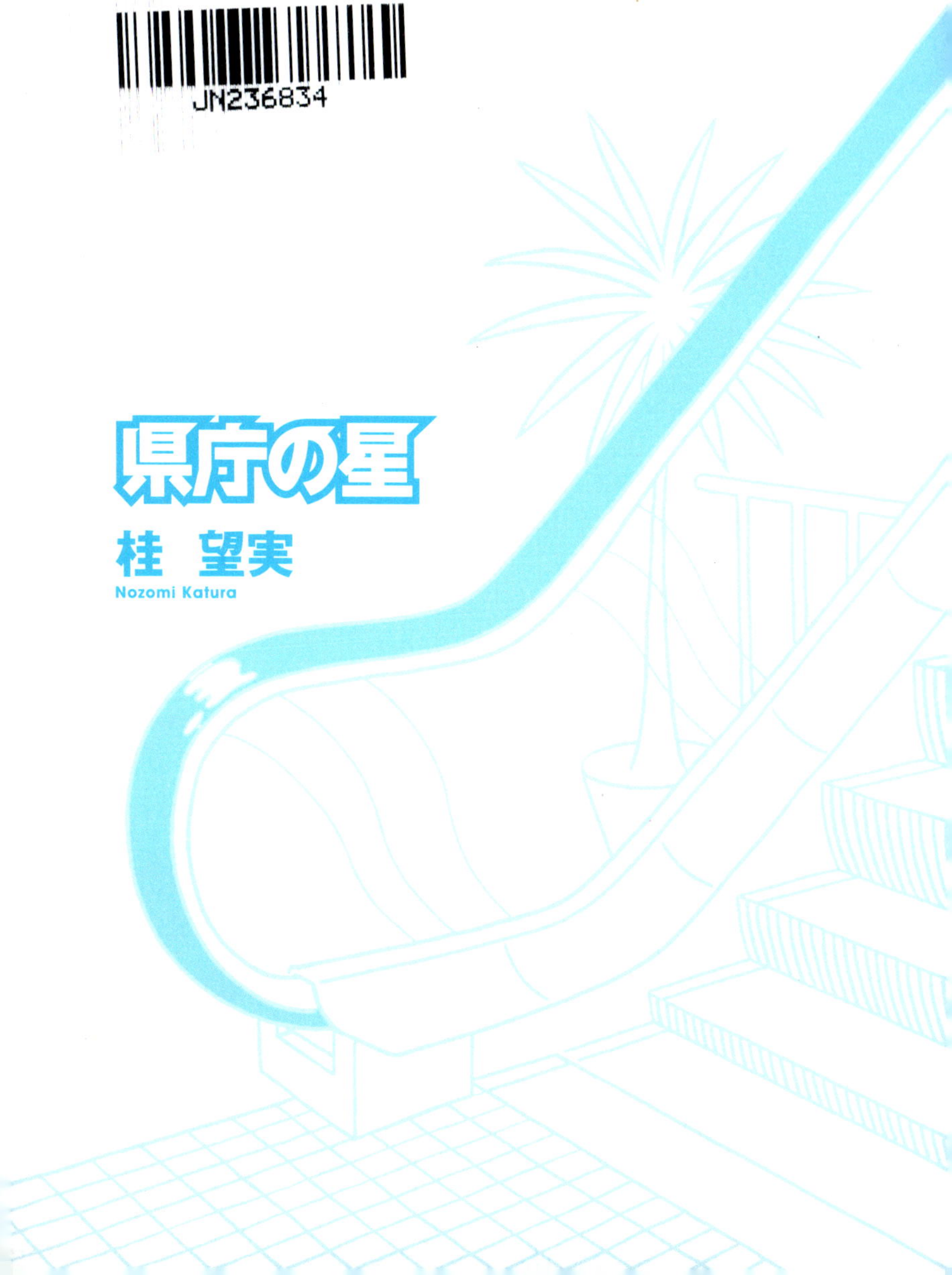

県庁の星

イラストレーション　加藤伸吉
ブック・デザイン　山田満明

プロローグ

「これ、見ていただけますか？」

野村聡《のむらさとし》は、工藤浩之《くどうひろゆき》から書類の束を受け取った。

Y県県庁舎四階の東端に産業振興課のオフィスはある。窓に背を向ける格好で座っている課長は、三十分前から居眠りをしていた。二年後輩の工藤は、聡の左隣に座っている。

聡は次々に書類に目を通していった。

「これはダメ。こっちも全然ダメ。これもダメだ。後でこれメールに添付して、そっちのパソコンに送ってあげるよ」自身のノートパソコンの画面を工藤に向けて見せた。「ここに対処例があるから。この場合は、これを使う。件《くだん》の結果は誠に遺憾《いかん》であります。したがって前向きに検討します、だ」

「前向きに検討しちゃっていいんですか？」

「検討するだけで実際はなにもしませんっていう意味だからいいんだ。それからこれは書き直してもらって。ほら、ここ、空欄になってる」

工藤が覗《のぞ》き込んだ。「あぁ、それは数字のまとめ方がわからなかったって言ってました。こっちで書いてくれって。もう一年も待ってるから、早く認可が欲しいとも言ってましたよ」

「そんなの待たせておけ。書類を書けないほど間抜けなのがいけないんだ」

添付書類が足りないものを工藤に戻し、電卓を叩《たた》き、検算したうえで印《いん》を押したのは一通だけだった。

「書類の不備が多過ぎる。受け取った時点でわかることだろ。なぁ、工藤、本当にそんなんで大丈夫か？　あと十日で僕は研修に行っちゃうんだぞ。引継ぎのペースを上げないとヤバそうだな」

「マジで不安です」

「いいか、役人はな、紙に残るもの」書類を人差し指で弾いた。「こういう形として残るものに関わるときは、慎重にならなくちゃいけない」

「はい」

「なにかあったときに、逃げられなくなるからだ」

「はい」

「それから、僕の印を押した、これ」書類を摘《つま》んで渡した。「印を貰《もら》う順番はわかってるよな」

「え？　下から順に、ですよね」

「同列の場合はどっちを先にするんだよ」

「あぁ……手が空いていそうな方から」

　首を左右に振って、デスクの引き出しを開けた。「これ、貸すからカラーコピー取って。これは裏座席表。この稟議《りんぎ》書は、五つの部署の決裁印が必要だよね。こういう場合は、ひっくり返して、五のところを見ると、ピンクと書いてある。で、またひっくり返して、座席表に付けられたピンクのマーカーの順路を見る。これが正解。この順番通りに印を貰って歩くといいよ。学閥とか、縁戚《えんせき》関係や交友関係まで考慮したうえで、編み出されたベストな順路だから。僕も先輩にコピーしてもらったんだ。その後、僕なりに改良はしたけどね。この順番を一つでも間違うと、内容に関わらず、書類に印は押してもらえないから」

「勉強になります」書類を撫《な》でた。「十日後には先輩はいなくなっちゃうんですよね。今のうちにいろいろ教えてもらわないと。明日でしたっけ、辞令式は」

「そう」

「で、四日後が合コンでしたよね」

「なんで知ってるんだ？」

「僕、耳はいいんです。昨日、先輩が携帯で話しているとき、聞き耳を立てておりました」右手で敬礼のポーズを取った。


胸には誇りがあった。

パイプ椅子に浅く腰掛け、揃《そろ》えた太ももの上に両手を置いた。背筋を伸ばし視線を真っ直《す》ぐ正面に向ける。天井に設置された空調機のせいだろうか、赤いビロードの幕が、ほんの少し揺れている。

腕時計に視線を落とすと、予定開始時間から五分が経《た》っていた。

隣席の桜井圭太《さくらいけいた》が、後方に並ぶ報道関係者たちを盗み見て、そっと聡に囁《ささや》いた。「結構集まってきたな」

首だけ後ろに向けた。「そうだな」

「暇なんだな、今日は。大きな事件がなかったんだろう」

黙って頷《うなず》いた。

「しっかしくじ引きとは恐れ入ったな」

「研修先のことか？」

「あぁ」桜井はちらっと背後に視線を送る。「予想外だったらしいよ。大手が手を挙げるだろうぐらいに考えていたらさ、新聞や雑誌に結構取り上げられたもんだから」さらに小声になった。「規模の小さいところまで興味をもっちゃって。お陰でくじ引きで研修先を決めざるを得なくなったんだと。企業とも呼べない少額資本の民間で研修させられるんだぜ。この俺らがだよ。腐るよな」

聡は苦笑いを浮かべた。「言えるな。ま、僕たちは選ばれたんだから、一年我慢しようぜ。研修を終えてここに戻れば、また一つ上のポストに就《つ》けるんだしさ」

「まぁな」

知事が笑顔で登場した途端、一斉にフラッシュが瞬《またた》いた。

広報二課課長の森《もり》裕《ゆう》二《じ》が言った。

「Y県職員人事交流研修者の辞令式を行います」

聡は大きく息を吸った。二万九千人の県職員のなかから、たった六名が選ばれた。空気と一緒に、誇りが再び胸に溢《あふ》れていった。

県庁の星

Chapter

1

1

冷えたピザを口に運んだ。

両隣に座っていた女の子たちはいつの間にかいなくなっている。トイレに行くと言って席を立つと、二度と戻って来ない。いつもそうだ。合コンで楽しい思いをしたことがない。どうやら今夜も連敗記録を更新しそうだ。

自分で言うのもなんだが、女にモテる要素をいくつも持っていると思う。一メートル八十センチの身長に、印象的だと言われる薄茶色の瞳。それを長くカールした睫毛《まつげ》が覆っている。鼻梁《びりょう》は細く、鼻筋もすっきりと通っている。薄く引き締まった唇と尖《とが》った顎《あご》もイケてるはずだ。笑ったときに見せるやや内向きの白い歯にも自信があった。それにY県の上級試験をパスしたエリート公務員の三十一歳。完璧《かんぺき》だろ？　だが、なぜか現実は厳しい。

向かいの席に視線を向けると、思いっきり盛り上がっていた。小林陽平《こばやしようへい》が女の子の頭を撫《な》でている。どんなふうに会話を進めれば初対面で髪を触れるのだろう。

男は見映《みば》えだけじゃダメなのだ。陽平はすでに中年太りのはじまった太鼓腹の持ち主だ。さらに丸顔にカッターで切れめを入れたような細目だというのに、女の子たちの気持ちをすっかり摑《つか》んでいる。学生時代、本気で芸人になろうとしていただけのことはある。

「ここ、いっかな？」

「えっ？」聡は声のした方へ首を向けた。

大きな胸で白いTシャツがはちきれそうになっている女が、隣席を指差していた。

「どうぞ」

女が座布団に斜め座りした。「さっき、乾杯でグラス、カッチンできなかったから。はい、乾杯しよ」ビールのグラスを掲げた。

サワーのジョッキをぶつけた。

「名前覚えてる?」女は自分の鼻を人差し指で叩《たた》いた。

「えっと……う、漆原《うるしばら》さん。あいちゃんだっけ?」

「あったり」人差し指で聡の鼻を突ついた。「偉いぞ。みんなにはうるうるか、あいって呼ばれてる。どっちで呼んでもいいよ」ビールを飲んだ。「陽平ちゃんから聞いたんだけど、のむのむは公務員なんだって?」

のむのむ? 初対面なのに随分馴《な》れ馴《な》れしい女だ。水商売かもしれない。

「公務員っていろいろあるでしょ。どういう公務員なの?」

「県庁職員」

「すっごい」目を見張った。「頭いいんだ」

「あいちゃんは? なにしてるの? 学生?」

「カフェでバイトしてる」

「へぇ」

「うるうる県庁に行ったことあるよ。県庁ってY駅の駅前のでしょ。コーヒーを何回か運んだことある。でっかいビルだよね」両手を広げた。

「あぁ、大きいね」

「何階にいるの？」

「今までは四階だったんだけど、来週からは研修先に出向するんだ」

「どこ？」

「民間」

「ん？」

「はじめての試みでね、一年間民間企業で働くんだ。民間企業独自の経営手腕や、工夫を学んで県民行政に役立てるためにね。人事交流計画の一期生として民間企業で働くんだ」

聡は三年前にY県産業労働部産業振興課産業支援班に配属され、二年前に班長になった。Y県での起業や創業意欲をもつ個人を対象に、ビジネスプランを全国に募集し、審査することが主な職務だった。成功が見込まれるものには無利子で開業資金を貸与し、さらに円滑に事業が進むよう総合的な支援を行っていた。来週からは、一年間の民間研修に派遣される。上役からは、この研修の目的は現場のなかに身を置くことで、ニーズや問題点を肌で感じるためだと告げられていた。

「へぇ」

あいは一気に興味を失ったような顔をして、焼き鳥をくわえた。

真面目に答え過ぎたか。「あいちゃんはいくつ？」

「二十三」

「若い、ね」

「もう二十代だから若くないよ。のむのむは？」

「三十一」苦笑した。「おじさんだ」

「おじさん好き」

「え？」目を大きくして、あいを見つめた。

「年、近いとうるうるダメみたい。大人がいい。ね、好きな食べ物は？」

「好きな食べ物かぁ」額に手を当てて考えた。

「うるうるはね、丼《どんぶり》フェチなんだよ」自慢げな表情で頬《ほお》を膨《ふく》らませた。

「丼？」

「そう、牛丼とか。チェーン店でもね、汁につけてる時間によって味が違うの。あんまり流行《はや》ってない店のほうが、汁につかってる時間が長いのね。で、味が染みてて美味《おい》しいんだよ。知ってた？」

「いや。知らなかった」

「マヨネーズかけるの」

「ん？」

「マヨネーズ持って行ってブチュ〜ってかけると、牛丼とかすっごい美味しいんだよ。知ってる？」

「いや。考えたこともなかった」

下座《しもざ》のほうから歓声が上がった。車座になってゲームをやっているようだ。

「大根サラダ食べる？」あいが長い爪で大鉢を指した。

「あぁ、うん。いただきます」

大鉢を小皿に傾けるという大胆な手法で、サラダを取り出してくれた。

「ありがとう」

「ね、どんな車乗ってるの？」

「マークⅡ」

「うわっ、公務員って感じ」

「そお？」

「うん。ま、いいや、マークⅡでも。今度ドライブして丼食べに行こうよ」

「ん？」

「うるうるとじゃ嫌？」

「えっ？　嫌じゃないよ」

「良かったぁ」顔の前で小さく拍手した。

　僕狙い、なのか。しげしげとあいの顔を見つめた。顔はちょっと長めだし、目と目は離れているし、鼻はやけに上を向いている。頭も悪そうだから、まともな会話は期待できないだろう。しかしちょっといただくには最適なタイプだ。軽く付き合わせていただくか。

＊

　一階にある社員通用口で守衛に事情を説明した。

　守衛は充血した目を大きくさせて言った。「県庁の役人がうちで働くって？」

「はい。本日、四月二十日付けで、特別研修民間企業派遣に参加することになりました。来年の四月十九日までの一年間、こちらで研修を積ませていただくことになっています。店長の清水《しみず》さんならご存じのはずです」

「すっげぇな。あんたなんかやったのかい？」

「はっ？」

「なんかやらかしてここに来ることになったんじゃないの？」

憤慨して言った。「違います。れっきとした人事交流です。罰としてこちらに伺ったわけではありません」

「交流ね」守衛は聡に顔を近づけた。「そりゃ凄《すご》いや」酒臭かった。

守衛は受話器を取ると言った。「店長？　こっちに県庁さんがいらしてますけど」


守衛に教えられた通り、三階でエレベーターを降りた。廊下を右に進んだ突き当たりに、店長室とプレートが貼《は》られたドアがあった。

大きく二度ノックをして、ドアを開けた。

壁に張り付くように座っていた男が立ち上がった。「野村さんですか？」

「はい」

「よくお越しくださいました」オペラ歌手のような張りのある声で言った。「私が店長の清水賢治《けんじ》です。ま、そこに掛けてください」

清水が指した方向にある丸椅子を見つめた。八畳ほどのほとんどが、段ボール箱に占拠されている。それらは芸術的に傾いており、一つの段ボール箱も倒さずに丸椅子まで辿《たど》り着けるとは思えなかった。

九十キロ以上ありそうな清水が、器用に段ボール箱の間を歩き、すとんと丸椅子に座った。

「さ、どうぞ」向かいを指差した。

四十代後半ぐらいで、豊かな黒髪をオールバックにしていた。広い額にはくっきりと皺《しわ》が二本刻まれている。

清水を真似《まね》て、横歩きで椅子に辿り着いた。腰掛けると、胸がテーブルと段ボール箱に圧迫された。

「返品がありまして」哀しそうに言った。「店長室がこんな状態になってます」部屋を眺め回した後、ゆっくりと首を左右に振った。

舞台芝居を見ているような気分になった。

Y県は東京から新幹線で一時間ちょっとの距離にあり、人口は二百万人余り。その四分の一の五十万人が暮らす県庁所在地のY駅周辺が、政治においても商業においても中心だった。人口三万人ほどのH市はこのY駅から電車に乗って十駅、距離にして四十キロほど東に位置していた。

H市の南端にあるこのスーパーの隣には、ファミリーレストランとガソリンスタンドが並んでいた。国道を挟んで向かいには、ボウリング場と外車販売店があった。

「今日からここが野村さんの職場です。なにかわからないことがありましたら、なんなりと仰《おっしゃ》ってください」五本の指をきれいに揃《そろ》えた手を胸に当てた。「お役所にはお話しさせていただいたんです。うちは田舎《いなか》のスーパーですから、県民の日常を知るには最適だと思いますとね。ですが、店には立っていただきますと」

大きく頷《うなず》いた。「承知しております」

「うちの店は――」

聡は左手を挙げて、清水の言葉を遮った。「H駅から徒歩二十分、国道二十号線と百三十九号線が交差する場所にオープンしたのが十八年前。三階建ての店舗面積は一万百平米。年商は十六億円程度。従業員数は七十二名ですね」

目を丸くした。「凄い」音を立てずに手を叩いた。「予習されてきたんですか？」

「これから研修を受けるわけですから当然です。ところで、研修のことですが、もちろんこちらのスケジュールに合わせてやらせていただきます。民間で様々なことを体験するのが目的でもありますので、どうかご遠慮なさらずに、ほかの方たちと同じようにお教えいただきたいです」

頭を下げたら、一緒に机が動いた。

「研修スケジュール、ね」苦悶《くもん》の表情を浮かべた。「まずは三階の寝具売場をお願いします。野村さんの教育担当は二宮泰子《にのみややすこ》さんです。今呼びますから、お待ちください」

清水は腹を引っ込め、そっと立ち上がると、壁に掛けられた電話機を取った。

店長室に来るよう頼んだところ、反対に売場に来るよう指示されたようだった。

「二宮さんは今二階の下着売場にいるそうなので、行ってください。細かいことはすべて二宮さんが教えてくれます。入館証やロッカーの鍵はこの封筒に入ってます」

「はい。ありがとうございます。ところで、その二宮さんは副店長さんなんでしょうか？」

「いえ。パートです」

「パート？」

「はい。まぁ実質この店を仕切ってますので、裏店長といったところです」

「はぁ」

清水が掌《てのひら》を出してきた。「頑張ってください」

「はい」

パートが僕を教える？　パートとは時間制で労働し、正社員の補助的な仕事をするものだと認識していたが、この店では違うのか？

とりあえず握手した。

二階に降りて、テナントの靴店とペット用品売場の間を抜けた。通路の中央に親子らしきマネキンが三体、それぞれの方向を見つめて立っていた。目を遠くに向けると、天井に向かって伸びるマネキンの足たちの前に、従業員が四、五人集まっているのが見えた。そちらに足を向けた。

ディスプレーを指示している女がいた。この人だろうか。

声を掛けた。「二宮さんでしょうか？　私、野村聡と申しまして――」

「聞いてる。県庁さんでしょ」

「こちらに一年間お世話になることになりました」

「だから聞いてるってば」苛立《いらだ》ったように声を尖らせた。「ちょっと待ってて。すぐに三階を案内するから」スタッフに向いた。「ね、マネキンに着ける下着は、最低でも一週間に一度替えてって言ったじゃない。やってよね。で、せっかく赤いセクシー系を飾ったんなら、ガーターベルトやナイトガウンの赤い物をこのテーブルに集めて。赤いバラの造花を置いてもいいわ。赤いろうそくでもいいから。わかった？　あっ、ろうそく飾ってもいいけど、火はつけちゃだめよ。この間みたいに商品燃えると困るからね。じゃ、あとよろしく」振り返った。「お待たせ」

「いえ」

「とりあえず三階の寝具売場担当だけど、いい？」

「はい」

二宮が猛スピードで先を歩く。カン、カンと強い足音をさせて売場を突っ切って進む。

足元を見ると、サンダルのバックベルトが外れていた。それでこんなに強い音が出てるのか。制服の後ろ姿に目を向けた。ベストの上からもブラジャーのサイズが合っていないことがわかった。ディスプレーも大事だが、自分のサイズを知ることも大事だろう。まあ、余計なお世話かもしれないが――。小走りで二宮の後ろに続く。

先ほど降りてきたのと同じ階段を上りながら二宮が言った。「暇だから大丈夫だと思うわよ。県庁さんでも」

「暇なんですか？」

「そう」

それは困る。

「暇な売場では研修になりませんので。どうかご遠慮なさらないでください。忙しい売場でお願いします」

突然立ち止まった。「ご遠慮はしてないわよ」聡の顔を覗《のぞ》き込む。「忙しい売場でお客さんに迷惑かけられちゃうと、こっちが困るのよ。それだけよ」

再び歩きはじめた。

感じ悪い女だ。十歳ぐらい年上に見えるが、もっと上かもしれない。県庁なら入庁年数で年齢を推《お》し量《はか》ることができるのだが。一メートル五十ちょっとの身長で体重が六十キロを超えているのは間違いないだろう。細く描いた眉は気が強そうに見える。そら豆のような顔の輪郭に肩までの長さのソバージュ。今時、こんな髪型をどこの美容院で作らせるのだろう。丸い鼻の頭には脂が浮いていた。

「ここね」二宮の足が止まった。「隣の自転車売場の人と交代して休憩行くようにして。今はいないみたいね。ま、そのうち現れるでしょう」

「はい」

「私を探したいときは」壁に付けられている白い電話機を指した。「短縮二番に電話して」胸ポケットから携帯を出した。「どこにいても捕まるから」

「わかりました」

「じゃ」身体を反転させた。

「あの？」

「なに？」振り返った。

「もうこれで終了なんでしょうか？　売場に立つにあたっての諸注意は」

瞬《まばた》きを何回かした後で言った。「諸注意？」

「はい。接客マニュアルなどはないのでしょうか」

二宮が腰に手を置いた。

「それにレジの打ち方や包装の仕方や、そういった基本的なことがわかりませんよ」

細い眉が一気に上がった。「いかにも役人が言いそうなことで涙が出そうになっちゃった」

「は？」

「マニュアルなんてない。実際に体験して、考えて、自分なりの一番いい方法を見付けりゃいいの。マニュアルなんてうちの店にはない」

無茶苦茶だ。どの店にだって最低限の接客マニュアルぐらいあるだろう。高校生がバイトするファストフードにだってあるじゃないか。店のコンセプトに添った基準となるべき指標がなくて、どうやって人と接すればいいんだ。

「ちょっと待ってくださいよ。なにをどうしたらいいのか、わかりませんよ」

「自分で」自身の頭を人差し指で叩いた。「考えなさい。県庁さんは頭、いいんでしょ。わからなければその都度周りの人に聞いて。マニュアルなんて作れないほどいろんな客が来るんだから。レジもね、レジにいる人に聞けばいいの。最初は触らせてももらえないわよ。それに今の時期、寝具売場は暇だから面倒なこともないだろうし」ひと睨《にら》みした後、身体を捻《ひね》った。「じゃね」

「もう一つだけ」

「なに」眉間《みけん》に皺を寄せた。「トイレの場所？」

「いいえ。組織図を拝借することはできませんでしょうか？」

「組織図？」

「はい」

「なんで？」

「えっ？　組織を理解しなければ、どのように業務を推進すればよいのかがわかりません。所属長からの伝達なども――」

「この店に入って十五年になるけど、そんなもの見たことない。もしかしたらないかもよ」

「そんな！」

「そんなものなくたって回ってくから」うんざりしたように頭を左右に振った。「民間は」

ヒールの音を響かせて去って行った。

呆然《ぼうぜん》として、二宮の背中を見送った。

マニュアルも組織図もない？　それでどうして組織が動くのか？　業務範囲と責任者が明確にならなければ、仕事は混乱してしまう。スーパーだからか？　この店だけのことなのか？　——たいへんな所に来てしまった。

＊

シャッターばかりが目立つ商店街を歩く。ラーメン店の前で足を止めた。店にできた行列を眺めて、大きく一つ息をつく。

一年間の研修期間中は、H駅近くのアパートで仮住まいをする。商店街に店を出す海苔《のり》店の上階五階分がアパートになっていた。海苔店横の六十センチほどの間口から出入りをするのだが、隣のラーメン店に並ぶ客たちが、いつもアパートの入口前を塞《ふさ》いでいた。

一気に気持ちが塞ぐ。なぜ毎日、ここに並ぶのだろう。四日前にここに引っ越して来てから毎日この状態だ。人の出入り場所を遮断するマナー知らずの人間を見る度に、ラーメン店が、このボロアパートが、この町が嫌になった。

人の間を縫って、アパートに足を踏み入れる。錆《さび》だらけの郵便受けから新聞を取り、突き当たりにあるエレベーターに乗り込んだ。ゆっくり上昇していく間、天井の照明器具からはジジジッと音が鳴り続ける。五階に着くと、激しい揺れが起きてからダッダンと鈍い音がして、扉が開いた。

この二十五平米の部屋を選んだのは、人事課だった。家賃は職員研修予算から捻出《ねんしゅつ》されるため、県内の単身者が払っている平均家賃額、六万五千円以下の物件を探したそうだ。オーナーである海苔店店主は生活環境部県民生活課課長の親戚だと耳打ちされた。つまり文句を言わず、粗相《そそう》のないよう一年暮らせということだ。

ドアを開けると部屋のすべてが見渡せてしまう造りだった。入ってすぐ右にはオーナーから借りている二槽式洗濯機があり、その先にミニキッチンがあった。左にはユニットバスがあり、二歩も歩けばもう部屋の中心だ。窓下に横付けしたベッドの手前にミニテーブルを置くと、空きスペースはほとんどなくなった。フローリングであることがせめてもの救いだった。

一つだけある窓を開けた。商店街に向いた窓からは、向かいのアパートが見える。下に目を移すと、アパートの二階の高さにあるアーケードの赤い屋根があり、男性歌手が歌う『桜』のBGMがこぼれてきた。

コンビニで買ったカップラーメンとお握りを袋から出した。沸かした湯をカップラーメンに注ぎ、できるのを待つ間に、紺のスーツを脱いで、ヘインズのTシャツと、ユニクロのチェック柄ハーフパンツに着替えた。

ベッドに寄りかかり、カップラーメンの蓋《ふた》を剝《は》がす。箸《はし》で搔《か》き回しながら、それほど腹が空いていないことに気がついた。あぐらをかいて、部屋を見まわす。築二十年のアパートは、全体的にくすんで見える。黄色っぽい壁の天井近くには数本のヒビが入っていた。このボロアパートで一年間生活するのは気が重かった。

研修前は県庁から歩いて五分のところで独り暮らしをしていた。完成したばかりのマンションは八階建てで、聡のような独身者が多く住んでいた。角部屋で、二つの窓から陽が入り、四十平米で八万円の家賃は妥当といえた。隣は大きな池のある公園で、静かな環境が確保されていた。エントランスはテレビモニター付きオートロックで、部屋を閉め切っていても常に新鮮な空気を採り入れる二十四時間低風量換気システムがあった。

今日、二宮はガイダンス一つせず、いきなり聡を店に立たせた。そして退店時間になるまで、一度も寝具売場には来なかった。業務知識を学習することも、職務能力を上げることもできないなら、研修とは呼べない。聡はこの研修期間中、月七千円の特別派遣研修手当を貰《もら》うことになっている。日常業務を中断し、手当も得るからには、なんらかの成果を形にしなければならないが、あの店では難しそうだ。

最近県では新卒だけでなく、民間企業経験者を中途入庁させる傾向が強くなっていた。今回の民間研修は、生粋《きっすい》のエリートである自分たちに実務経験をつませ、外様《とざま》職員との差を埋める救済措置でもあった。

吐息をついてから、伸びたラーメンを箸で持ち上げた。

2

惣菜《そうざい》売場でカボチャの煮付けを籠《かご》に入れた。疲れた身体に鞭《むち》打って夕食を作る気にはなれない。

来週からはじまるゴールデンウイークを意識して、二階の特設売場を拡張した。昨日からの準備仕事で、身体はくたくただし、帰りの遅い息子を待つ気はないので、独りで簡単に食べられる惣菜をいくつか選んだ。

スーパーから自転車で二十分の距離にある県営アパートに戻ると、玄関に学《まなぶ》の黒いスニーカーがあった。珍しい。クビにでもなったのか？

廊下を進み、リビングに足を入れると、学がソファでテレビを見ていた。茶色に染めた髪を後ろで一つに束ねている。

五十五平米の2LDKは角部屋で、窓からは道を挟んで建つ、学も通った小学校が見える。ベランダに視線をやり、声を険《けわ》しくした。

「ちょっと。先に帰ってたんなら、洗濯物ぐらい取り込んでくれればいいのに」ベランダに出た。

洗濯物を猛スピードでソファの上に積み上げた。

窓を勢い良く閉める。「ホームヘルパーさんはこういうことするのが仕事なんでしょ。家ではしないわけ？　時給貰えないから？　あんた本当にお年寄りの役に立ってるの？」

学はテレビ画面から視線を外さない。

シカトかよ。なんでこんな子になったんだろう。

泰子はダイニングテーブルに乗せたビニール袋から買った物を取り出して、冷蔵庫に仕舞《しま》いはじめた。学が立ち上がり、リビングを出て行きかけた。

「食事は？」声を掛けた。「済ませたの？」

「腹減ってないからいらない」

「そう」

暗い声で言った。「……死んだんだ」

「えっ？」手を止めて、学を見た。

「担当していたおじいさんが今朝死んだんだ。だから今日は訪問する家がなくて、早く帰って来たんだ」

「あぁ」再び袋の中の惣菜に手を伸ばす。「そうなの」

「母さんはそんなことより洗濯物のほうが大事なんでしょ」

「なに言ってるの。からまないでよ。知らなかったんだもの。誰かが亡くなったなんて」

「言ったよ。具合が良くなくて、今週保《も》つかって人がいるって」

「そうだった？」自身の肩を揉《も》んだ。「だからってわからないわよ、お母さんには。あんたが早く帰って来たなってことぐらいしか」

顎をぐいっと上げた。「母さんに友達いる？」

「なに？」

「いないでしょ」

あんたもね。「お母さん疲れてるのよ。だからからまないでくれる？」

「もっと周りの人を気遣う気持ち、もったほうがいいよ。僕が言わなきゃ、誰も言わないだろ、母さんには。だから言ってるんだ」

「なんなのよ。わかったわよ。担当してた人が亡くなって、それで哀しんでいたから洗濯物を取り込むことはできなかったと。そう言いたいのね。だったらすぐそう言えば——」

「もういい」

「ちょっと。からんで来といて、もういいってのはないんじゃないの？」

学は冷め切った目で泰子を見てから、リビングを出て行った。

なんなのよ。わざと音を立てて椅子を引き、どすんと座った。そういうことだってあるでしょうよ。年寄り相手の仕事なんだから。その度に洗濯物も取り込めない言い訳に使うつもり？　わざとらしくテレビの前に座ったりして、僕哀しいんだから慰めてよって？　はっ。離婚したときから、強い男になるよう育てたつもりだったのに。強くなったのは自分だけ。結婚も子育ても失敗したか。あぁ、嫌になる。

「よいしょ」掛け声をかけて立ち上がった。

*

「はぁ〜」

休憩室のマッサージ機で声を漏らした。最高。

二階のバックヤードには、正社員用の更衣室と、十六畳ほどのパート専用の休憩室が並んでいる。休憩室のドア横の掲示板には、店からの連絡事項を書いた紙が貼られている。端には個人的なメッセージを貼ってもいい場所があり、子猫を育ててくれる人や、休日を交代してくれる人を探す紙が留められていた。

パートから小銭を巻き上げるドリンクの自動販売機の設置は早かったくせに、マッサージ機要望の嘆願書は二年も寝かされた。パート全員の署名を集めてようやく入れてもらった。パートなんて、商品を袋に詰めて、金額を合計して金を受け取ってりゃいいんだって考えだから、福利厚生が充実しないんだ。本部から来る男性社員だけが長のつく役職につき、高給を貰う。ふざけんなってぇの。パートの時給が十円上がるには、気が遠くなるほどの勤務年数が必要なんだぞ。

「二宮さん、お疲れみたいですね」

休憩室の右隅に、畳四枚を並べた場所がある。床に直接置かれた畳は黄ばんでいた。薄目を開けると、佐藤浩美《さとうひろみ》がそこに座って茶を淹《い》れていた。

「うん。お疲れよ。連休前に休みを取っておこうと思ってたのに、結局取れなくってね。あと三日でゴールデンウイークでしょ」指を折った。「連休が終わるまでだから、トータル三週間通し勤務の予定なの。考えただけで、ぐったり」

「お茶、飲みますか？」

「うん。いただく」

マッサージ機のスイッチをオフにした途端、静寂が訪れた。浩美が注ぐ茶の音が響く。

「はい、どうぞ」

「ありがとう」ミッキーマウスのマグカップを受け取った。

ミッキーマウスの完璧な笑顔をしげしげと見つめた。学とディズニーランドへ行ったときに、色違いで買った土産《みやげ》だった。

「リストラまたやるんでしょうか？」浩美が湯呑《ゆのみ》を持ったまま言った。

最近は目が合えば、リストラはあるのかと尋ねられる。

「どうかしらね」

「二宮さんはなにも聞いてないんですか？」

「なにも。私なんかに教えてくれないわよ」

「そんなこと。二宮さんが実質この店やってるようなもんじゃないですか。パート扱いのまんまで。

いいように使われちゃって。私、自分のことのように腹が立ってるんですから」

「私の代わりはいくらもいるからね」

憤慨したように口を尖らせる。「そんなことないですよ」

「ありがと」

湯呑に口をつけた。「私ここクビになると困るんですよね」

きた。皆、私に事情を聞かせたがる。「そうね。みんな困るわね」

「資格もってないし、次の働き口あるかどうか」湯呑のなかを覗いた。「夜の仕事はしたくないし」

浩美を眺めた。それもいいんじゃないか？　ちょっとぽってりした唇も、いつも潤んでいる瞳も、男にはいい景色だろう。自分とはそれほど歳が違わないはずなのに、現役の匂いをぷんぷんさせているのだから、浩美なら女を武器にして生きていけそうだ。

泰子は一口飲んでから言った。「売上が上がると――せめて下がらないといいんだけどね」

「ええ」

「年下の彼とうまくいってないの？」

「えっ？」驚いた顔をした。

「元気なさそうだから」

「ん〜、そういう周期なんです」

「周期？」

「はい。彼とこのままでいいのかなって低い気持ちのときと、好きなんだからいいのってテンション高めのときが交互にやって来るんです。今は将来が不安で、低いときなんです」

「へぇ」そうですか。

「二宮さんには上下する感じ、ないですか？」

「私？　どうかな。あんまり自分の気持ちに波があるようには感じないな。どっちかっていうといつも怒ってるから」

「二宮さんのそういうとこ、格好いいですよね」

「嘘《うそ》よ」

「本当です。なんかいつもスパッて決断してるって感じで。私みたいにうじうじ悩まないでしょ。どんなところでも生きていけそうな力強さがある。羨《うらや》ましいです」

「別れた旦那《だんな》にも似たようなこと言われたわ」

「そうですか？」

「そう。そういうところが嫌いだってさ」

「そんな」

突然、三日前に学から言われた言葉が蘇《よみがえ》る。「母さんに友達いる？」はっ。友達がどうのこうのっていうのは、未熟な子どもにだけ通用する幻想だ。一生の友達だと誓い合っても、生活環境が変われば、あっという間に心から消えるのだ。だいたい友達がいたらどうだっていうのよ。こうやって相談してくる同僚はたくさんいるんだから。似たようなもんじゃない。私は思い遣《や》りだらけよ。客を、同僚を思ってるわよ。

壁に掛けられた時計に目をやった。休憩はまだ十五分残っている。マッサージ機のスイッチをオンにした。

3

昼の休憩時間に一階裏口の駐車場へ降りた。

約二百平米の駐車場には、二十台ほどの従業員の車のほかに、自転車やバイクが並び、右隅には生ゴミの粉砕機が二台あった。アスファルトは所々で大きく裂け、その隙間《すきま》から雑草が顔を出している。三台の自動販売機の前にはベンチが置かれ、上部には右隣の物置まで続くトタン屋根が付いていた。

缶コーヒーを自動販売機で買い、大きなトラックが荷物を下ろしているのを眺めた。このスーパーに来て一週間、毎日食後に缶コーヒーを買っているが、搬入時に出くわしたのは初めてだった。ふと周囲を見回し、舌打ちをして、すぐに来店客用駐車場へ移動した。六百台収容可能の広大な駐車場には、十台ほどの車しか止まっていなかった。きょろきょろしていると、二宮が近づいて来た。

「なに？　どうかした？」

「標示がありませんね」

「なんの？」

「アイドリングの禁止を呼びかける標示ですよ」

眉間に皺を寄せた。「なんのこと？」

「以前僕が経営支援課の相談班にいた頃、県知事名でこちらの店に意見書を提出しました。営業時間の変更の申し出があったときです。来客へアイドリング禁止を呼びかける標示をするよう指導したはずです。その標示が見当たりません」

首を捻った。「そういえば何年か前にそんな看板を作って立てたなぁ」

「それは今どこに？」

「さぁ。倒れたかして、壊れて処分したとか、そういうことじゃないかな」

腰に手を当てた。「大規模小売店舗立地法の規定に基づいた意見書を軽々しく扱われては困りますね」

「なんだって？」

「裏の駐車場にも納品車両に対する標示がありませんでしたよ」

「アイドリングしてなかったでしょ」

「そういう問題ではないんです。こちらとしてはアイドリング禁止への対策を求めているんです」

「こちらって、どっちよ」

「県庁です」

「研修中でスーパーの店員じゃない」

「籍は県庁にあります。いいですか――」

大きく首を左右に振った。「あぁ、もうわかった。看板出しゃいいんでしょ、出しゃ。でっかい看板出すから。でもさ、暑い日にクーラーが効くまでの間、アイドリングしてる客にお願いなんてできないからね」

頷いた。「アイドリングは法律で禁止されてはいませんので、致し方ありませんね。店としてはあくまでも協力を要請することしかできないでしょうから」

「環境や騒音を気にしてるんじゃなくて、禁止する標示をしてないことが気に入らないように聞こえるんだけど」

「予測し、事前に掲示、伝達、警告していたかどうかは大事です。なにかあったときに、かかってくる責任の大きさがまったく違ってきますから」

休憩を終え、寝具売場に戻ると、渡辺五郎《わたなべごろう》の姿がなかった。店内で渡辺の姿を見かけることは滅多にない。

三千平米を超える三階フロアを、パートも含めて九名の従業員が担当している。しかし休憩に行っている者や、休みを取っている者などがおり、全員が揃うことはまずなかった。

客が小さな紙切れを出して、三輪車の取り置きをしていたと言った。担当の渡辺からはなにも聞いていなかった。

聡は裏口の扉を押し開けた。踊り場には寝具と自転車の在庫が乱雑に並んでいる。なにがどこにあるのか渡辺にはわかっているのだろうか。目印でも付いていないかと、自転車をざっと見て歩いた。トイレの横にあるストックルームを覗いたとき、渡辺の背中を見つけた。

声を掛けると、慌てた様子で振り向いた。驚きでいっぱいの表情をしている。神経質そうな白い顔にみるみる赤みが差していった。

渡辺は聡と同い年の三十一歳で、量の少ないワンレンの髪をかきあげる癖があった。切れ長の細い目と薄い眉が、軽薄そうな印象だった。身長は百七十五センチ程度でかなり痩《や》せている。足を長く見せるためなのか、いつも不自然に高い位置でベルトを締めていた。

取り置き用紙を渡そうと近づいたとき、積まれた毛布の間に女がいることに気が付いた。制服を着た小柄な女は三階では見たことがない。恐らく違うフロアにいるのだろう。ここでなにをしていた？

渡辺が言った。「明日取りに来るって言ってたのにな」ドア横に置かれた三輪車を持ち上げた。

聡が渡辺の後に続こうとしたとき、腕を摑まれた。振り返ると、女が怯《おび》えたような顔をしていた。

「ナイショにしてください」

「えっ？」

「ナイショ」

「今ここにいたことをですか？」

「はい。ナイショお願いします」

さっと見た名札には馬と書いてあった。

頷いた。「わかりました」

馬はちょこっと頭を下げると、階段を降りて行った。

＊

スーパーを七時に退店し、徒歩でアパートに向かった。

国道を左に折れると、すぐに商店街の入口がある。四百メートルほど続く商店街の歩道には、等間隔で太陽を擬人化したモチーフが描かれ、それは屋根にも及んでいた。所々の左右に抜ける角には、オレンジ色の看板がかけられ、『サンロードへようこそ』の文字が躍っている。駅に抜ける近道のためか、自転車に乗った高校生や会社帰りの人たちで、この時間は比較的混んでいた。
二、三分歩き、一軒のコンビニに到着した。商店街のほぼ中央にあり、聡のアパートから一番近いコンビニだった。

弁当売場を眺め、背後のパンの棚に目を移す。

昼の休憩時間に、社食で焼き蕎麦《そば》パンを食べていると、二宮がからんできた。

「それで女にふられたことない？」

二宮が真面目な顔で聡の手元を見ていた。

「はっ？」

「それ、なにしてんの？」顎で聡の手元を指した。

二宮に見えるように焼き蕎麦パンを斜めにした。「紅生姜《しょうが》が嫌いなんです」

「それで？」

「ですから、紅生姜が嫌いなんです。でも焼き蕎麦パンには必ず入っているんですよね。しかも中央に」

二階のバックヤード内にある社員食堂は、五十平米の広さをもち、四人掛けのテーブル十個が二列に並んでいた。

二宮が向かいに座り、A定食を乗せたトレーをテーブルに置いた。「で？」

むっとして言った。「紅生姜は焼き蕎麦パンに必要ありませんよ。それなのに勝手に入ってるんです。それにこうやって紅生姜を取っても、接していた麺《めん》が赤くなってる」

「だから赤くなった麺を割箸でちぎって、ラップの上に取り出してるの？」

「そうです」

「そりゃたいへん」椀《わん》の上部から探るような目つきで聡を見る。

とても嫌な感じだ。紅生姜を除《の》けるだけで人間性まで低く見られている気がする。

聡は精一杯冷静に言った。「食べ物の好き嫌いって、どうしようもないものですから」

「せっかくの二枚目なのに。そんなチマチマしたことやってると、もてないわよ」

「チマチマって——僕にとっては大事なことなんです。紅生姜を根絶しなくてはせっかくの焼き蕎麦の味が——」

「仕事は慣れた？」

あんな仕事、慣れるようなもんじゃない。だいたい仕事ともいえない。ただ立っているだけなんだから。

三階の寝具売場には客は稀《まれ》にしか訪れず、この一週間の売上は三万円だった。

赤く染まった麺をすべて除去し終え、一口食べた。「三日前から寝具は一つも売れてないんですよね。商品に問題があるんじゃないですかね」

「どういう問題があるって？」

「それはわかりませんよ。ただ売れないってことは、どこかに問題があるんでしょう」

「で？」

「えっ？」

「問題があると思うなら、解決したら」

「僕がですか？」

目を細めた。「そう」

「どうしてです？」

「問題があるって言い出したのは県庁さんだから」

「それは……こっちは研修者なんですから、わかりませんよ」

「うちの店の、どんなことを知ってる？」

「予習してますよ、ちゃんと。十八年前にオープンして店舗面積は一万百平米、従業員数は七十二名――」

顔から表情が消えた。「それ、資料読んだだけじゃない。顧客層は？」

「顧客層？」

「どういう生活をしている人か、年齢は、家族は、仕事は、そういうこと」

「それはわかりませんね。マーケティング会社が出したデータでもあるんですか？」

わざとらしく大きく息を吐いた。「うちに来て一週間だっけ？」

「ええ」

「一週間店にいれば、わかるでしょ。その目で見てれば」

「そんなの無理です。だいたい客が三階の寝具売場までやって来ないんですから。来たとしたって、見た目の年齢ぐらいしかわからないし」

箸を置き、激しくソバージュの頭を搔いた。「あのさ、客を知りたいなら、店のなかを歩いてみたらどう」

「えっ？」

「Y駅から電車で三十分、車で一時間ぐらいでしょ、ここは。だからY市に通うサラリーマン世帯も多いのね。チャリで二十分のところに団地があるから、そこに住んでいる人たちね。去年、隣町に大学が移転してきたから学生も増えてきた。大学病院があるから、病院関係者も多く住んでる。看護師さんたちの寮もあるし。日常的な買物を、家族世帯はサンロード商店街のなかの店か、うちの店か、駅の向こう側にあるスーパーのどっちかで買ってる。向こうのスーパーはうちの半分ぐらいの規模なのに、売上は同じくらい。うちは規模だけでいえば、市内で二番目なの。でも苦戦中。休日にはY駅やO駅前に並んでるデパートのどれかで買い物しちゃうしね。学生やシングルたちはなかなかうちに来てくれない。コンビニがそこらじゅうにあるからね」

「へぇ」

「調べるんだったら、こういうことを調べなさいよね。で、商品のことだけど、構成や価格には口出しできない。うちはチェーン店だから、本部で一括仕入れしてるのね。たとえば洗剤が一個売れるとするでしょ。ポスシステムで一個売れたと本部に知られるの。そうすると次の納品日には、本部から洗剤が送られて来ちゃうのね。寝具もそう。一個売れれば同じ商品が送られてくる。スタッフがいなくて品出しできない日でもお構いなしにね。だから従業員専用の裏階段も踊り場も凄いことになってるでしょ。店でできるのは陳列ぐらい。ディスプレーをいじるならいつでもどうぞ」

棚からメロンパンを一つ手に取った。缶ビールとインスタントパスタと一緒に、レジの前に置いた。

コンビニを出て、アパートへ向かう。

店は本部から一方的に送り付けられたもので商売するしかないとは——地方と霞《かすみ》ケ関《せき》の関係に似ている。川上の中央から、川下の地方への流れしかない。逆の流れは存在しないのだ。

民間は利益や在庫についてもっとシビアかと思っていた。忙し過ぎても困るが、退屈過ぎても、時間の経過が遅く感じられて困る。この調子で毎日が過ぎるなら、一年は気が遠くなるほど長いだろう。

二宮の話で予想外だったのは、従業員に他県の住民が多くいたことだった。隣接するS県とN県の住民が三割程度いた。これではこのスーパーの存在が地域活性の一助にならないどころか、商店街の落日に拍車をかけているだけだ。従業員に占めるY県住民の割合を高くするよう上司に上げたうえで、県から意見書を出してもらおう。

海苔店の前で立ち止まり、腕時計を眺めた。スウォッチの文字盤は七時二十分を差している。三人の若い男たちがアパートの入口に座り込み、進路を妨げていた。うんざりだった。

4

三階を巡回した。文具品の棚が乱れている。特に下段がひどい。子どもたちが徘徊《はいかい》する場所は要注意だ。画用紙や折り紙は上段に置かないと売り物にならなくなる。ゴールデンウイークに入って、一気に子ども連れの来店客が増え、商品の痛み具合はエスカレートしていた。

自転車売場を通り抜けるとき、渡辺の姿を探したが見つからなかった。あいつ、裏でタバコを吸ってるか、女を口説いてるかなんだから。結婚生活が保《も》ってるのが不思議だ。さぼっていても正社員の渡辺は、自分らより数段高い給料を貰っているから頭にくる。

寝具売場を覗いた。

三階エスカレーターを下りて正面にあるのが寝具売場だ。扱っている品物が大きいため、フロア全体の四分の一を占めている。

ベッドパッドを見ながら野村がなにかを書いている。

「なにしてるの？」

「あぁ、おはようございます」

「おはよう」

「これはですね」爽《さわ》やかな笑顔で言った。「研修内容を月に一度、レポートにして役所に提出しなければならないものですから。メモを取っていました」

「なにをメモってたって？」

「売場のレイアウト図を書いてました」

「県庁さんもたいへんね。スーパーの売場の配置図が役所で役立つとは思えないけど」

「確かにその通りなんですが、なんでも書類で残しておかないといけないんですよ、我々は」

こいつ、違う国に住んでるな、たぶん。「県庁さんは選ばれた人なの？」

少しはにかんだように笑った。「期待されてはいると思います」

そうかよ。「そりゃたいへんだわ」

「期待されているってことは、常に見られているってことですからね。結構プレッシャーですよ」

あっそ。「で、売上は？」

「全然売れませんね。陳列方法なら変えていいってことでしたから、やらせてもらいました。ちょうどいいや、見てください」棚を指した。

壁に沿って置かれた棚には、毛布とカーテンが色別にきっちり並べられていた。シーツとピローケースは中央の棚に、薄い色から濃い色へと陳列されている。色の区別はつくようだ。

「ここにあったテーブルは？」

「スペースを確保するために片付けました」

間違いなく馬鹿だな、こいつは。「なんのスペースを確保するんだって？」

「陳列のスペースです」
十、九、八……気持ちを落ち着かせるため、十から逆に数を数えた。ふぅっ。まだ切れていない。
「すぐテーブルを元に戻して。ただ商品を並べたって客は買わない。すでに持ってるもんだから。買い替えさせるためにはコーディネート提案するのが一番なの。私の言ってることわかる？」

「コーディネート……ですか？」

役人言葉に変換してくれる翻訳機をください。「まず本屋行って。インテリア雑誌買ってきて。高級な感じの雑誌にするのよ。海外のホテルを紹介してる本でもいいわ。その本を開いてテーブルに置く。で、そのページに載っているのと近い感じの商品を並べるの。たとえば白いシーツと、ダークブラウンのピローケースと、掛け布団カバーが載ってるページを開くとするでしょ。そのページに載ってる物と同じような色合いと風合いの商品を、隣に並べるの。そうすればイメージが広がりやすいでしょ。広がるのよ、県庁さん以外の人は。それからね、きれいに陳列するのはいいんだけど、人間って、完璧に整ったものには興味を引かれないもんなのね。だからわざとちょっとだけ乱しておくの。いかにも客が広げて見ましたって感じにね。客はね、そういうものにまず目を向けるものなの」

「それは心理学ですか？」

あんたの心のなかを知りたいよ。「なんでもいいからそうして。それから販売員がぼんやり立っている場所に、客は絶対に近づかないから。売上を伸ばしたかったら掃除をするとか、陳列をいじるとか、わざと忙しそうなふりをして。自分に注意が向けられていないとわかれば、客は安心して、のんびり商品を見て歩くから」

「それはなにか、購買心理を考察した――」

「四《し》の五《ご》の言わずにやればいいの。レイアウト図を書いてるより、よっぽど店のためになるから。以上。質問は受け付けない」

身体を反転させ、寝具売場を離れた。言われた通りにやりゃあいいんだ。だいたいなんで役人の教育係が私なのよ。高卒のパートだっていうのにさ。

＊

市営会館で月に一度開かれる俳句サークルに参加して八年になる。ここでは最年少。だから一番早く行き、机を並べて茶の用意をする。五月に入って十日も経ち、ようやく取れた休日の午後が、句会の準備で消えていく。

事前に出された題で三つの句を作り、ハガキでの提出を済ませておく。五月の題は『青梅《あおうめ》』と『朝凪《あさなぎ》』と『鮎《あゆ》』。当日は名前が伏せられた生徒の句が書かれたプリントから、気に入った六つの句に印を付けて提出する。アシスタントが集計している間に先生が講評し、最後に得票の上位が発表される。

二十畳の部屋にコの字形に机を配置し、二十人分の菓子を均等に懐紙に置いた。

「いつもお世話様ですね」句会の主宰者、田中登志子《たなかとしこ》が言った。

「いいえ」作り笑いを浮かべた。「こんなおばさんですけど、皆さんと較《くら》べたらまだまだ身体だけは動きますから。頭は動かないんですけど」

「そんなことないでしょう。とても元気の良い句をお作りになってるわ」

元気な句か。いつもそう言われていた。『歯切れがいい』『強い』『勢いのある』といった言葉で泰子の句は評された。裏を返せば、情緒に欠けた趣《おもむき》のない句ということだ。いい句が作れないのは人間としての奥行きがないせいか、それとも知性がないからか。勉強は大嫌いだったからな。

自嘲《じちょう》気味に言った。「元気なだけじゃダメなんですよね、俳句は」

「いいんですよ。元気なの、いいじゃないですか。明日も頑張ろうって気持ちになれるの、いいことですよ」

「でもいつもどなたからも点をいただけなくて」

「これからですよ」トントンと泰子の右腕を叩いた。「皆さん何十年もやってらっしゃる方ばかりですからね。泰子さんは大器晩成型。これからぐんぐん伸びる方だと思いますよ」

この先生、励ますことにかけては天下一品なんだから。今まで何度やめようと思ったか。その度に登志子とアシスタントに挟み撃ちされ、丸め込まれて八年経ってしまった。なんで続けてるのか自分でもわからなくなっていた。

「そうだといいんですけど」泰子はぺたんと座布団に座った。

*

三階のエスカレーター横で梅雨対策売場用の品をワゴンに並べていると、背中越しに野村の接客する声が聞こえてきた。入店して半月余り、どうやらレジを任せてもらえるまでになったらしい。誰かが昼休憩に行っているからだろうが。ポップをテープで留め付けながらそっと野村を窺《うかが》った。次になにをやったらいいのかわからないのだろう。包装紙を探してみたり、レジに向いたりを繰り返す。右に一歩、左に一歩。前に、後ろに、タン、タン、スタタン。カウンター前で小さなステップを踏み続ける。

野村が言った。「お客様、このカードは使用不可になっていまして、クレジット会社に連絡することとのメッセージが――」

泰子は速攻でレジに向かった。

客が怒りを爆発させる寸前に声を掛けた。「お客様、きっとコンピュータのトラブルです。磁気が弱っていますと読み取れないことがあるんです。申し訳ございません。どういたしましょう。クレジット会社に私どもから電話いたしましょうか？　すぐにコンピュータトラブルだとわかると思いますけど。問い合わせしている間、少々お待ちいただくことになりますので――お急ぎですよね。現金か、ほかのクレジットカードをお持ちではございませんか？」

客は頬を膨らませたまま財布からカードを出した。「これならどお？」

「恐れ入ります。野村さん、お包みをお願いします」

「あっ、はい」

カードを通した。すぐに決済が取れた。「お客様、こちらは大丈夫でした。やはりシステムのトラブルでしょうね。よくあるんです。お客様にご不快な思いをさせるから注意してほしいと言ってるんですけどね。回数は一回でよろしいでしょうか？」

泰子は最高級の笑顔で客を見送った。血圧が一気に上がっていくのがわかる。このバカ男に付き合ってると病気になる。店になんか立たせるべきじゃないんだ、こんなヤツ。

客の姿が見えなくなってから、泰子は低い声で言った。「ちょっと、今のなんなの。裏に来て」

野村が呑気《のんき》そうな声で答えた。「今ですか？　売場に誰もいなくなって――」

「いいから裏来なさい。ナベちゃんを店に立たせるから」

こういう男は小学校からやり直させなきゃだめだ。猛然と裏階段にダッシュした。

踊り場でタバコを吸っていた渡辺に言った。「県庁さんと話があるから、店お願い」

渡辺は慌ててタバコを消し、走って売場に向かった。

泰子は一つ深呼吸をしてから言った。「今の、なんなの？」

「はい？」

「カードが通らなかったことを、なんで客にそのまんま言っちゃうのよ。画面に出てきたことをそのまんま話すなら、人間いらないじゃない」

眉をしかめた。「よくわからないんですが」

グーで殴りたい。

「画面にカードの使用不可って出たんでしょ。カード会社に電話って、番号が出たんでしょ」

素直に頷いた。「そうです」

「そのまま言ってどうすんのよ」唇が震える。「限度額オーバーなのよ。それか支払いが滞《とどこお》ってるかのどっちかなのよ。盗難届けが出ている場合は、そう画面に出るでしょ。使用不可ってなんだと思ったわけ？　支払いがスムーズじゃないからに決まってるでしょ」

「はぁ」

「客に恥かかせてどうすんのよ。うちはクレジット会社じゃないんだから、商品の代金を貰えればいいの。コンピュータやカードの磁気のせいにして、客は全然悪くないってことにしなきゃ、二度とうちで買い物しなくなるでしょうが」

「そうでしたか。習ってなかったもんで」
十、九……やめた。こうなったら役人すべてを敵に回してやる。「私だって習ったことなんかないわよ。店にいる人、誰も習ってないわよ。これを言ったら客はどう感じるかって、わかんない？　商売は習うもんじゃなくて、客の気持ちを察することなの。県庁さんには資質がない。人を喜ばせたいとか、楽しませたいと思ったことないでしょ。県庁さんが新入社員だったら即クビ」

5

研修がスタートして三週間が過ぎた。

フリークロスを積み上げていると、女の声がした。

「ちょっと」

振り返った。

「ここで枕買ったのね」紙袋を掲げた。「眠れないのよ。だから交換して欲しいのよね」

え？

七十歳以上に見える老女が、袋から枕を取り出す。それは十年は使ったような年季物に見えた。

「これを、ここで買われた？」

「そう。さっきからそう言ってるじゃない」

干からびた肌は黒く、唇も茶色く淀《よど》んだ色をしている。背中は大きく曲がり、白いエプロンを腰で結んでいる。

「いつ買ったんです？」

「さぁ、覚えてない」

「レシートはお持ちですか？」

「なくしちゃったわよ」

「おばあちゃん、これ何年も使ったものでしょ。それを眠れないから交換しろっていうのは、話が通らないんじゃない？」

老女が睨《にら》んできた。

「交換っていうのはね、未使用のものだけ。わかりますか？　僕が話してる内容、理解できますよね？　こういうの交換なんてできませんよ。どこでもそうですよ。この店だけじゃなくね」

「眠れないのよ」

「知りませんよ、それは。この店で買った品かどうかも証拠がないんだし。あったとしたって、これだけ使い込んでおいて、眠れないからって持ち込まれてもね、こっちも困るんですよ」

いきなり人差し指を聡に向けてきた。身体全体が小刻みに揺れている。

ボケてるのか？　参ったな。

大きく息を吸ったとき、二宮の姿が見えた。

老女が振り返った。

「どうなさいました？」二宮が老女に言った。

「枕をね、ここで買ったの」枕をポンポンと叩いた。「眠れないのよ。だから交換して欲しいのね」

「眠れないんですか？」

「そう」

「それは申し訳ありませんでした」深く頭を下げた。

はあ？　ちょっとおばちゃん、なにとち狂ってんだ？

二宮が言った。「恐れ入りますが、私どもの応接室までお越しいただけないでしょうか？」

「いいわよ」

老女が勝ち誇ったように右の口角だけを上げて笑った。

「野村さん、経理行ってくれる？　杉本《すぎもと》さんにお願いして、美味しいお茶を淹れてもらって、応接室に持って来て」

呆《あき》れて言葉が出ない。

「お茶は野村さんが持って来てくださいね。さ、あちらです。ご案内します」二宮は老女とともに通用口に向かった。

経理部は三階の店長室の隣にある。ドアを開け、警備員に会釈をした。

部屋のなかには、透明の間仕切りで囲まれた一角があり、六畳ほどのスペースに三人のスタッフが座っていた。

「杉本さんはいらっしゃいますか？」間仕切りに開けられた穴から声を掛けた。

中年女がのんびり立ち上がった。「なに？」

「二宮さんから頼まれたんです。茶を応接室に運ぶようにと」

「あぁ、クレームね。ちょっと待ってて」

杉本が出入り口横のセンサーに指紋を読み取らせ、ドアを開けて出てきた。

「どんな人？」茶筒を手に持って杉本が尋ねた。

杉本の尖った顎はしゃくれている。少し顔が右に曲がっているので、ひょっとこみたいだ。

「どんなって――七十過ぎたぐらいのおばあちゃんです」

「そう。ハードルは高いな」

「ハードル？」

「ん？　まぁ、大丈夫。これでもお茶を淹れる腕はこの店でナンバーワンなのよ」背中を向け、ポットに手を伸ばした。

杉本のでかい尻が目に入った。太い足首に白いソックスを三つ折りにして履いている。五十はいってるか。訳わかんないおばちゃんばっかだ、ここは。客はろくでもないし。だいたいなんで茶を運ぶのが自分なんだ？

「県庁さん、お待たせ。とびっきりの美味しいお茶。気をつけて運んでね」

盆を捧《ささ》げ持ち、応接室に向かった。ノックをすると、二宮の明るい声がどうぞと言った。

ドアを開け、二人の間のテーブルに盆を置いた。

「富佐子《ふさこ》さん、さ、お茶、召し上がってください」

「まぁ、すみませんねぇ」シワシワの手で湯呑を握った。「ん。これ美味しいわ」

「良かった。玉露《ぎょくろ》なんですよ。特別ですよ。特別の方にだけしか出さないお茶なんです。一階の売場にも置いてないぐらい高価なんですよ。でもね、富佐子さんは味のわかる方だと思いましてね」

なんだ、こいつら。付き合ってらんないよ。くだらない話をペチャクチャと。

三十分経ち、ようやく富佐子は腰を上げた。二宮が一緒に来いと言ったので、一階まで降りた。

二宮の隣で富佐子を見送る。富佐子は危ない足取りでひょっこりひょっこり歩いていく。

「もうちょっと興味のあるふり、できない？」二宮が言った。

「は？」

「富佐子さんの話によ」

「嫁の悪口に興味なんてありませんよ」

「私だってないわよ。ふり、ふりすればいいの」

「だいたいなんで謝ったりしたんですか？　こっちは悪くないじゃないですか」

「私謝った？」

「謝ってましたよ。なんでそういうこと忘れちゃうんです？　すぐに申し訳ありませんでしたって、頭下げてたじゃないですか。どうしてです？」

「あぁ」入口横にある小さな人工池を覗く。「あれ？　鯉《こい》が三匹しかいない。一匹足りない。どうしたんだろう」

「二宮さん、僕の話、聞いてます？」

「聞こえてる」池の縁に屈《かが》んだ。「客商売やってるとね、申し訳ありませんなんて言葉、しょっちゅう言ってるからね」

「おかしいですよ、それ。こっちに非はないじゃないですか。それなのに謝罪しちゃって」

聡を見上げてきた。

「なんです？」

ぱっと顔を輝かせた。「テレビで見たことある。役人が一列に並んで、申し訳ありませんでしたって、頭下げる記者会見。そういうの、県庁さんもやったことあるの？」

「ありませんよ。ミスなんてしませんから」

「へぇ。記者会見の謝罪って気持ち伝わってこないよね。ああいうの見ると、大人っていつから謝れなくなるんだろうって思うんだよね」

「は？」

「子どもの頃って、悪いことすると、謝りなさいって親に叱《しか》られなかった？　そうやって育ったはずなのに、大人になると心から言えなくなるみたいだから」

「なに言ってるんです？」

「なんでもない。死んじゃったのかな？　鯉」哀しそうな声を出した。

「枕はどうなったんです？　僕が同席してから、枕の話、一切してませんでしたよね。まさか交換したんじゃないでしょうね」

「枕？　あぁ、最初は枕の話だったわね。交換なんてしないわよ。するわけないじゃない」

「じゃあ、あの人は自分の間違いに気付いたんですね」

「間違い？」立ち上がった。「なにそれ」

「ですから、あんな使い込んだ品を交換なんて――」

「話を聞いてもらいたかっただけだから。枕はどうだっていいのよ。嫁に苛《いじ》められて、口惜《くや》しくて夜眠れないってことを、誰かに聞いてほしかっただけなんだから」

「そうなんですか?」

「そうよ」

「ここはよろず相談所になってるんですか?」

「なってない」頬にかかった髪を掌で払った。「誰が正しくて、間違っているかは関係ない。ここは裁判所じゃないから」店に入っていった。

寝具売場で座布団を重ねていると、渡辺が話しかけてきた。

「なんかあったの?」薄い唇を舐《な》めた。

渡辺は舌が長いのか短いのかよくわからない話し方をする。一歩間違うとオカマのような口調になる。

「いえ、別に」

「本当に?」疑うように目を細めた。「二宮さんと随分長いこと消えてたじゃない」

「何年も使った枕を交換してくれと言ってきたお客さんに、対応してたもんで」

「あぁ、そういうこと」

ビニール製の収納ケースに破れを見付けた。引っ張り出し、ファスナーを開けた。なかのマットレスを取り出す。なんだって、こんなことをしなきゃいけないんだ。

「なんか怒ってるみたいじゃない、県庁さん」

「怒ってませんよ」マットレスをテーブルに乗せた。「二宮さんの対応がどうもわからないんです」

「シカトしとけばいいよ。あのトラブタの言うことは」

「トラブタ？」

「そう。関西出身でもないのに、阪神タイガースのファンなの。間違いなくマゾだね。あぁ～ん、今日も負けたぁって、悶《もだ》えんの。トラファンのブタみたいなデブだから、トラブタ。新種の動物みたいでしょ。スーパーなんてさ、売場のもんがどんなに頑張ったって限界あるんだから。立地とか、価格とか、品揃えとか――うちらはどうにもできないじゃない。だからさ、そこそこやってればいいのよ。トラブタの言ってることは気にしないでさ」

「渡辺さんは、二宮さんとは違う考えってことですか？」

「考えって、そんな大層なもんじゃないけど。諦《あきら》めることを知ってる大人だってことだな、俺は」

「諦める？」

「そう。トラブタも最近は随分諦めてきたけど、若い頃はもっとはじけてたんだよね。この店を変えようとしちゃって」遠い目をした。「ま、できないってわかったみたいだけど。俺なんかさ、毎日楽しいよ。ラテン民族ってさ、最高の怠《なま》け者だけど、最高のサービスするって言うんだよ」

「はい？」

「サービス業ってさ、模範解答がない仕事でしょ。客が求めるものってそれぞれだし。でね、ラテン民族は世界で一番怠け者だけど、サービスをさせたら最高のできなんだって。昔先輩から教わった。楽しむことや遊ぶことに熱心だからだってさ。どうされたいかがわかっているから、どうすればいいかを知っている」髪をかきあげた。「俺、それ気に入ったのね。お役所じゃぁさぁ、たいへんなわけでしょ。一年休暇を貰ったようなつもりで、ここでのんびりしたらいいよ」

怠け者の論理に付き合っている暇はない。やはりここは最悪の研修先だ。

＊

洗濯機を回していると、携帯電話が鳴った。桜井の自宅からだった。

「今日そっちも休みか？」聡は尋ねた。

「そうなんだ。な、ちょっと会わないか？」

「いつ？」

「今日」

「今日か。今日は――これから人と会うんだよ」

「そうか」間があった。「じゃ、また今度にするよ」

「あっさりしてるな。いいのか？　なにか話があるんじゃないのか？」

「いや、いいよ。で、どうなんだ？　スーパーは」

ため息がこぼれた。「バカばっかりでさ。この三週間、バカに囲まれて、バカの相手して――正直疲れるよ」

「そうか」

昨日の二宮の顔が浮かぶ。自信たっぷりの態度に腹が立つ。

聡は言った。「明日の夜、一杯やるか？」

「ん？　そうだな。明日だったら早番だからいいよ」

「元気出せよ」

「えっ？　元気ないか？　俺」

「そうだな。そう聞こえる」

Y市の外れに位置するK駅近くの待ち合わせの喫茶店で、入口近くのカウンター席に座った。奥に細長い店だった。携帯のアンテナが三本立っているのを確認して、アイスコーヒーを啜《すす》った。店内を見回すと、主婦らしきグループやサラリーマンたちがコーヒーを飲んでいる。平日の午前十時の喫茶店には独特の時間が流れているようだ。週末とはまったく違うリズムに支配されている。

今頃、県庁の皆はなにをしているだろう。来月行われる匠《たくみ》賞コンテストの仕事に追われている頃か。三十名いる産業振興課では、年に一度県民から推薦された職人たちを審査し、県の名匠に認定していた。

去年の今日、自分はなにをしていただろう。電子手帳を取り出し、去年の五月十三日のスケジュールを調べてみる。九時半から十一時半まで匠賞コンテスト実行委員会会議に出席。十一時半から昼休憩を使って午後一時まで地方発信の新産業に関する懸賞論文を作成。一時から五時までに二組の起業希望者と面談し、会社設立に関するアドバイス。五時半からは有志参加の勉強会に八時まで出席した。

去年は充実していたのにな――へこみそうになって、慌てて電子手帳を閉じた。

ゴールデンウイークが終わって五日。店は以前のような静けさを取り戻していた。寝具は相変わらず売れず、していることといえば、しょっちゅう姿を消す渡辺に代わって自転車の説明をすることぐらいだった。

研修中の給与は、スーパーで働いた時間を、県庁で定められた金額、計算方法に基づいて、県から支給される。ゴールデンウイークのような休日に出勤すると、休日給のほかに超過勤務手当として勤務時間一時間につき三十五パーセントを割増した額が支給される。県庁にいたときは上司の残業時間を超えないよう配慮して申請したが、今は正直に勤務表に記入しているので、昨年度より二万円程度多くなりそうだ。

ふと、足元に視線がいく。ワラビーの靴紐が解けていることに気が付いた。左膝《ひざ》を曲げて身体に近づけ、締め直す。

「のむのむぅ、待った?」

顔を上げると、あいがすぐ横に立っていた。

隣席に滑らかに座る。「喉渇《のど》いちゃった。もらっていい?」アイスコーヒーを指さした。

「えっ? あぁ」グラスを差し出した。「飲み物買って来ようか?」レジの方向を親指で指した。

「ううん。これでいい」

あいの顔をじっと見つめた。この前会ったときと違う感じがする。化粧が濃いせいか、二十三歳より随分上に見えた。すぐに、人工的に長く太くされた睫毛《まつげ》に釘付けになった。重さのせいなのか瞬きの動きは緩慢で、なんとも痛々しかった。

「あのね、うるうる今日行きたいところがあるの」小首を傾《かし》げた。

「ん? あぁ、メールでも言ってたね」

「そう。ずっと行きたいと思ってたの」

「どこ?」

「秘密。行けばわかるし」立ち上がった。「行こう」

あいが行きたかったのは、Y市の郊外に今年できたばかりの水族館だった。

水族館に入ると、あいが手をつないできた。あいはどんな種類の魚にも「かわいい」と言った。表現力が乏しくても、気にはならなかった。ぴったり身体をくっつけてくるので、あいの豊かな胸が腕に常に触れた。今日も大きく胸元の開いたTシャツを着ていた。自分の魅力を充分知っているように思えた。

二時間かけてゆっくり館内を観て回った。アシカのショーでは、「かわいい」が連発された。あいは時折、尋ねるような表情で聡を見つめてきた。


アウトレットモールへ向けて、自宅マンションからわざわざもってきた白のマークIIで、国道を走った。

五分ほど走ったところで、突然あいが大声を上げた。「吉野家」

左前方にオレンジの看板を見付けた。「吉野家に行きたい？」

「うん」目を輝かせた。「うるうるマヨ持ってる」

「向こうに着いたら、お洒落《しゃれ》な店あるかもよ。そういう店じゃなくていいの？」

「いいよ。のむのむと吉野家行きたい」

マークIIを駐車場に入れ、店内に入った。

カウンターに並んで座った途端、男性客たちがあいの胸元に視線を送る。

あいは生卵の入った椀を左手に持ち、右手でしっかり箸を握り、攪拌《かくはん》をはじめた。聡が食べはじめても、あいは一心不乱に掻き回し続けた。

手を止めた。「ふぅっ」あいが卵を丼にかける。「のむのむもかける？」

「ん？」

小さなバッグからマヨネーズのミニチューブを取り出した。具の上にマヨネーズで大きな円を描いた。

「ちょっとだけつけてみようかな」丼を差し出した。

あいが隅に三センチほど絞った。「よく掻き混ぜてね」

「うん」

しばらく眺めてから、口に運んだ。不味《まず》くはないが、旨《うま》くもなかった。

「どお？」

「うん、旨いよ」

「良かった」ほっとしたような顔をした。


アウトレットモールに着いた頃、小雨が降り出した。

ヨーロッパの街並みを模したレンガ造りのモールは四つの塔に分けられていた。塔と塔の間には噴水があり、ポップコーンやホットドッグを売る屋台が並んでいる。噴水の横でパントマイムをしていた男が、傘を広げる動きをして空を見上げた。つられて見上げた空には、猛スピードで流れる雲があった。

あいがショーウインドーの服を見ながら、自身の両腕を擦《こす》った。

「寒い？」

「うん。ちょっと」

「羽織る物、買ってあげようか？」店のなかを指した。

「本当？」

「あぁ」

「こんなに寒くなると思わなかったし。だったら、このお店じゃなくってね、あっちのお店がいい」

隣の塔の二階に行き、一軒の店であいは楽しそうに店内を見て回った。時々思い出したように、聡を振り返る。

黒の長袖のカットソーを手にした。「これ、どおかな？」

スクエアに広く開いた胸元には、たくさんのタックがあった。その一枚では温かくならない気がしたが、いいんじゃないかと頷いてみせた。

モール内のカフェで一息ついた。一万二千円のカットソーを羽織ったあいは、カプチーノを一口啜って言った。

「ここから一番近いM駅まで乗せてくれる？　今日はこれでバイバイなの」

「え？」

「うるうるね、これから友達と約束あるんだ」哀しそうに声を曇らせた。「だから、今日はもうバイバイなの」

「そうなの？」

「本当はね、もっと一緒に行きたいところあったんだけど——昨夜《ゆうべ》晩《おそ》くにね、女友達から電話があったのね。彼が浮気してたんだって。酷《ひど》いよね。それでその子、すっかりやられちゃったのね」前髪を指で梳《す》いた。「だからこれからその子のうち行って、話を聞いてあげなきゃなんないの。んで、今日はこれでバイバイなの。またメールするし。今日は付き合ってくれてありがと。それに、これも」カットソーを摘《つま》んだ。「ありがと」

マンションに持ち帰ろうと思ってたのに、がっかりだ。時間がないとわかっていれば、デートは短縮コースにして、早々にマンションへ連れて行っただろうに。

M駅の前で車を止めた。

両手を顔の横で小さく振るあいの仕草がかわいくて、思わず手を振り返した。

桜井がワイン持参でボロアパートに現れた。

あいとのデートが突然夕方で打ち切られたため、桜井を誘うと、二つ返事でやって来た。

「野村、今日初デートだったんだろ」太い眉を上下させた。

「あぁ」

「どうだったのよ?」

「まだ食べてないけど、旨そう」

弾けたように笑った。「旨そうなのか。それは楽しみだな」

三十二歳になる桜井は、前髪に少し白いものが混じっている。中肉中背で、笑うと歯並びの悪さと目尻の皺が目立った。エラの張った四角い顔に縁なしの眼鏡をかけていた。

桜井とは県庁職員採用試験会場やOB訪問時によく顔を合わせていた。最初から桜井は屈託のない様子で話しかけてきた。情報交換をするうちに親しくなり、就職活動中の不安や悩みを言い合うようになった。最初から公務員一本狙いだった聡とは違い、ベンチャー企業や商社にも魅力を感じていると、桜井は打ち明けた。桜井には、県の議会事務局に勤める親戚がいた。桜井にとってはそれも悩みの一つだった。実力で入庁し、実力で出世しても、縁故のせいにされてしまうのは堪《たま》らないという。言いたいヤツには言わせておけばいいと聡はアドバイスした。結局桜井は入庁を決意し、聡と同期になった。入庁後の桜井は、聡が感心するほどすべての仕事に正攻法で当たり、つてを利用することはなかった。現在は産業労働部雇用対策課職業能力開発班に在籍し、民間のスポーツクラブで研修中だった。

桜井がワインの栓と格闘している。

聡がテーブルを眺めて言った。「ワイン持って来ると思わなかったからさ、合わないつまみばかりになっちゃったな」

ポンッと栓が抜けた。「構わないさ。つまみにこだわりなんてないよ」

「あぁ」

紙コップに真っ赤なワインが注がれた。まともな食器は自宅マンションにあった。一年の仮住まいのここには、最低限のものしか持って来ていなかった。

桜井が一気に飲み干し、すぐに注ぎ足した。

笑いながら桜井に言った。「おい、ちょっとピッチ早過ぎないか？　明日仕事だろ？」

「あぁ。残念ながら仕事だ。いや、仕事じゃない。あんなの仕事じゃない」黒いトレーナーを腕捲《うでまく》りした。「あんなのはな、シラフじゃできないんだよ。ちょっと酒が身体に残ってるほうがいいんだ」

「あっ、それ、わかる」

「だいたいさ、十八、九の小娘に、桜井さん、大きな声でお客様にご挨拶《あいさつ》しましょうなんて、注意されたかないっての」

「マジで？」

鋭い視線で聡を睨んだ。「これがマジなんだよ。客の名前と顔を覚えろって言うんだ。まだこっちはスタッフの名前と顔だって一致してないってのに。暗記には自信があったんだけどさ、Tシャツにジャージ姿だから皆似て見えるんだよ。客の名前と顔を覚えてどうするかっていうと、鈴木さん、おはようございますって声を掛けろだとさ。名前を言われると特別って感じがして客は喜ぶからってさ。本当かよって感じだろ」

「なんだ、そりゃ」

一段高い声で言った。「山田さん、こんにちは。今日はエアロビクスですか？ 調子はどうですか？」低い声に戻した。「って声掛けろって。どうしてだよ。俺は最高学府を出てるんだぞ。難しい上級試験パスした、県を動かしてる人間なんだよ」

桜井も研修先で苦労しているようだ。

聡はしみじみ言った。「この研修、企画倒れだったな」

「そうなんだよ。そもそも民間と官庁は役割が違うんだから、なにかを学べるって考えるのがおかしかったんだよ。見ている世界も規模も違うんだからさ」

「そうだな」

「そっちはどうよ、スーパー」

タラチーズをくわえた。「わけわかんない店。客はろくでもないし、従業員もまともなのいないし。売上が年々下降してるってさ」

「そっか」ワインをあおった。「だいたいさ、Tシャツが黄緑色なんだよ」

「あ？」

「イメージカラーってのが黄緑色なんだ。だから紺色のジャージに、上は黄緑色のTシャツを着させられてるんだ。鏡見る度にうんざりするんだよな」

「最悪だな」

聡は昨日、渡辺から上着は着なくていいと言われた。スーパーの売場ではワイシャツにネクタイ姿で充分正装だとも言われた。言われた通り、上着を脱いでみたら、穏やかではいられなかった。まっとうな仕事でないことを認めたようで、恥ずかしさに襲われた。落ち着かないと渡辺に言うと、真っ赤なエプロンを渡された。店のロゴが隙間なくプリントされたエプロンをワイシャツの上にしてみたらと言われた。とんでもないと、即座に断った。

桜井が言った。「だけど一年間は戻れないだろ？」

「そうだな」

「一度決めたことは、どんなに意味がないと現場が訴えたってダメなんだ。途中で予定を変えるのは自白と同じだからな。管轄局が間違いを認めたってことになる。だから絶対にあり得ない」大きく息を吐いた。「俺一年も我慢できそうにない」

「前例のない仕事ってやりにくいよな」

「言えるな。前例がなくてもさ、準備期間があって、研修内容が適切かどうか判断してから派遣先をチョイスしてれば良かったんだよな」

「そうだな。なんせ知事がマスコミとの懇親会の席で思い付きで決めたことだからな。例年なら俺たちは人事委員会主催のセミナーへ出席したり、大学院や司法研修所に派遣されてたんだ。ついてないよな」

　聡は民間企業職務経験者枠で入庁してきた職員たちの顔を思い浮かべた。なにかにつけ『民間では』『一般常識とはかけ離れている』と発言した。そうした言葉を聞く度、不愉快になった。その民間での経験とやらが、この程度のものなら今後彼らの意見は戯言《ざれごと》として切り捨てよう。

　励ますように聡は言った。「でもするしかないんだよな」

「いろいろ考えたんだ」背中を壁に付け、天井を仰いだ。「民間研修は無意味だってレポートを全員が提出したら、とかさ。研修先からクビになったらとかね。でもどれもだめなんだよ。その時点で俺らのキャリアは終わる。今まで一生懸命仕事してきてさ、客の名前を言えないからって理由で公務員のキャリアが終わっちゃうんだぜ。冗談じゃないよ」白い靴下を擦った。「野村はほかの道って考えたことあるか？」

「ん？　公務員以外ってこと？」

「そう」

「ん〜、ないな。利潤追求には違和感があったんだ」ジップアップスウェットのファスナーをいじった。「それに、やっぱり安定感が違うだろ。大企業だってリストラだ、倒産だってリスクがある。犯罪者にならない限り公務員は生涯保障だからな。最近は財政が苦しくて、職員を解雇する自治体もあることはあるけど、民間と較べたら、公務員のほうが断然守られてるからね。正直、三十過ぎて民間で研修するとは思ってなかったよ」

「だよな」

家に父親の姿はほとんどなかった。製薬会社で営業をしていた父は近隣八県が担当エリアだった。出張が多く、家には母と聡の二人が残された。父が出張から戻って来るときは、いつもげっそりしていて、疲れ切っているように見えた。甘えたり、困らせてはいけないと、子どもなりに気を回していた。大学二年になったとき、学校主催の就職ガイダンスに出席した。無意識のうちに、転勤や出張がなさそうな仕事を探していた。「県庁職員」と巡り合ったのは、このときだった。転勤もなく、倒産もなく、出張も多くはないだろうし、営業もさせられないのは魅力だった。筆記試験の過去問を解いてみると、思いのほか簡単だった。

現在父は定年退職し、毎日ずっと家にいて、母に疎《うと》まれながら暮らしている。

聡はきっぱりと言った。「とにかくさ、一年だよ。なんとかやるしかないんだよ。しんどいけどやるしかさ。お前は早く結論を出そうとするところがあるから注意しろよ。綺麗な奥さんのいる身なんだし。なりたくたって、誰もが県庁の上級職になれるわけじゃないんだぞ。腹が立っても、自分を大事に考えて行動しろよ。とにかく一年、耐えようぜ」

渋々のように頷いた。「あぁ」

「無事に一年を過ごせば、一つ上のポストが待ってるさ」

聡も桜井もこの研修を修了し、報告書を出せば主任になる予定だ。その後は三、四年ごとに異動しながら係長、課長補佐、課長と昇任していき、部長へ辿り着く。高卒の職員と較べると年齢で約四年、入庁歴ではおよそ八年分早く出世する。県庁内での主要なポストのほとんどは上級試験合格組が押さえていた。聡の場合は、力をもつ学閥のメンバーでもあるため、県の中枢に入ることが約束されていた。

桜井が紙コップにワインを注ぎ足した。「今日は悪酔いしそうだ」

「構わないさ。こんな狭い部屋でよかったら泊まっていけよ」

苦しそうな笑顔を見せた。「あぁ」

6

憮然《ぶぜん》として泰子は言った。「どうして私が?」

清水が何度も頷いた。「二宮さんの気持ちはよくわかりますよ」耐えるように目を瞑《つむ》り、約十秒後に目を開けた。「リストラしろと本部が言ってきてるんです。一昨年やったばかりだと訴えましたが、なにせ売上が落ちてるし、ライバル店はどんどん値段を下げてしまうしで。五月中に一回目の人員削減リストを出すよう言われまして」両手を肩のところで広げた。「残念です」

どっかでカメラ回ってんのか? いちいち大袈裟《おおげさ》なんだよ。

泰子は体重を掛ける足を替えた。「だからってパートを切るっていうのは単純な発想だと思いますけど。変えなきゃいけないところは、ほかにもたくさんあるんじゃないですか?」

「仰る通りです」したり顔で答えた。「改革はあらゆるところで行うつもりです。その手始めとして、人員の見直しなんです。前回同様パートも社員も関係なく、再度査定をするようにと本部が言ってきてるんです」

能力もない癖に店長なんてやってるからだよ。こいつ、店長会議でスタッフのせいにしてるに違いない。そうじゃなきゃ、おかしい。うちより売上の悪い店だってあるんだから。

「それに、どうしてパートの私が、パートの人たちを——社員の人たちまで査定しなくちゃいけないんです？　私が付けた査定で首切るなんておかしいですよ。そういうのは社員さんがやる仕事でしょう」

「いやぁ、その通りです。面目ありません」殊勝なふりで頭を掻く。「仰る通りなんですが、店のこともスタッフのことも、一番知っているのは二宮さんですからね。仮にですよ、仮に私や副店長がやったら、とんでもない人を残して、大事な人を切ってしまいかねません」身を乗り出した。「ですから、二宮さんにお願いするしかないんです」

調子いいんだから。陰でうるさいババアと言ってるくせに。人の恨みを買いそうなときだけ自分を利用する。こっちが辞めたいよ。辞めようかな。あと十歳若かったら辞めてるな。四十五歳で資格をもってないおばちゃんは、我慢して過ごすしかない。

「それって、誰もやりたくない仕事だからじゃないですか」声が尖っていく。「恨まれるのがわかってて——誰だって嫌ですよ」

「そこをなんとかお願いできないですか？　最終決定ではないんです。まずおおよその計画を本部に提出すればいいことになってますから」片目を瞑った。「それにね、奇跡的に売上がぐっと上がれば、リストラの話は消えてなくなります」

お前が店長をやってることが奇跡だよ。「まさに奇跡ですね」

「今の時代はなにが起こるかわかりませんよ」

「本気で言ってるんですか？」

「ええ」頷いた。「そうでも思わなければ――やってられません」

二階の日用品売場でトイレットペーパーを品出ししていると、突然背後から声を掛けられた。

心臓が大きく一回跳ねた。

副店長の本橋宏一《もとはしこういち》が笑っていた。気持ち悪い。

「なんです。びっくりするじゃないですか」

「いやぁ、ごめん。驚かすつもりはなかったんだけどさ」眼球が左右に小刻みに動く。「品出し？手伝うよ」台車に乗っているトイレットペーパーに触れた。

「そうですか？　じゃ、ここお願いします。私は洗濯洗剤を出しますんで」

「あっ、あのさ、さっき店長と話してたじゃない。あれ、なにかなって思って」

出たよ、小心者が。人の顔色を窺う男、四十歳、独身。信号がいつ赤になるかを心配するあまり白髪になったとする笑い話があるぐらい心配性の男だ。特に自分の評価を異常なまでに気にした。白髪と目の下の隈《くま》で、実年齢より十歳以上老けて見える。百八十五センチの長身をいつも猫背にして歩いた。横から見ると外人のように後頭部が膨らんでいて、顔の幅が狭かった。金の貯まりそうな耳たぶをしているのが滑稽《こっけい》だった。

「本橋さんの話は出ませんでしたよ」

「えっ？」

「そういうことを聞きたかったんじゃないですか？」

「いや、そういうわけじゃないんだけどさ。昨日の打ち合わせで、店長なにも言ってなかったからね」

「私にだけ話したいことだったんじゃないですか？」どうして私はこんなにいじわるな性格なんだろう。「トイレットペーパー、お願いしますね」

棚を曲がるとき、ちらっと振り返った。本橋が両手にトイレットペーパーを下げ、呆然としていた。今、本橋の胸は疑念でいっぱいだろう。一生悩んでろ。


携帯で呼び出され、一階の社員通用口横にある守衛室のドアを開けた。

奥のテーブルに、守衛の長島龍二《ながしまりゅうじ》と野村、男性客の三人が座っていた。長島が席を立ち、泰子に近づいて来た。

東京の交番に勤務していた長島は、三十歳のときに酒でトラブルを起こし、警察を辞めて、故郷のH市に舞い戻って来た。開店と同時に守衛になり、十八年経つ。制服のポケットに酒の小瓶を入れていることは、従業員全員が知っていた。百七十センチ程度の身長でがっしりした体格の持ち主だ。柔道の有段者だと本人はうそぶくが、真実かどうかはわからない。

「最悪」長島が囁《ささや》いた。

「なに？」

「県庁」

「ん？　県庁さんが最悪なの？」

小さく頷いた。

「ちょっと、責任者呼べって言ってんだよ」男が大声を上げた。「あんたが、そお？　店長？」泰子に向けて言った。

泰子はテーブルに近づいた。「あいにく責任者は不在でして。私二宮と申します。代わってご用件を承りますが」

「ご用件もなんもないの。こいつがさ、俺を泥棒呼ばわりしやがって、ここに連れて来たんだよ。腕にアザができたかもしれないな」スウェットジャケットの袖口を引っ張った。「客に対して失礼だってんだよ、おい」野村のほうにぐっと上半身を近づけた。

「僕は見たんです。あなたが、その黒いスポーツバッグに防虫スプレーを入れるのを」

泰子は長島に視線を移した。

長島は首を左右に振った。

「少々お待ちください」泰子は長島の元に戻った。「ビデオは？」

「残ってます。バッグに入れるところも、掛け布団の間に隠すところも」

あぁ……やってくれちゃったよ、こいつ。「県庁さんをこっから連れ出すから、あと頼んでいい？」

「いいっすよ。予算は？」

「どうかな。二万まで」

「わかりました」

「よろしく」

泰子は振り返り、野村に向かって言った。「野村さん、ちょっと話があるんで来てください」

野村は赤くした顔を向けた。「なんですか？　この人がそのバッグを開けてくれるまで、僕はここを離れるわけにはいきません」

「いいから来なさい。早く」

守衛室を出た泰子は、三階の寝具売場まで一言も喋《しゃべ》らなかった。

積まれた掛け布団の間に手を差し入れて探る。何個目かの布団の間で手応えがあった。

布団を大きく広げた。「これ」

野村が険しい目で布団を見る。みるみる目が大きくなり、顔を強張《こわば》らせた。

「これ？　県庁さんが言ってた防虫スプレーって」

「どうして？　どうしてここに？」

「さっきの人が入れたのよ、ここに」

「どうして？」

「県庁さんみたいな間抜けな従業員に捕まるために」

「は？」

「盗んだふりして隠しておくのよ、売場のなかに。で、捕まったら身体検査をさせて、潔白を訴える。泥棒扱いしたと文句を並べて、謝罪金を貰うのが目的」

「そんな……」

「守衛室の防犯カメラでずっと追ってたのよ。わざと放っておいたのに」天井近くに設置してある防犯カメラを指した。「腕、摑んだの？」

「だって逃げようとしたから」

「店のなかで？」

「えっ？　そうですよ」

こいつを刺したい。「今からレジに持っていくところだって言われたら、どうするつもりだったわけ？」

首を掻いた。

「本当の万引きの場合だったとしてもね、店を一歩出たところで捕まえるの、プロが。県庁さんは怪しいと思ったら、内線で守衛室に電話すればいいから。それだけでいいから。余計なことして客と店に迷惑掛けるぐらいなら、なにもしないでいてくれたほうが全然助かる。案山子《かかし》みたいに立ってりゃいいから」

「そういうのわかりませんよ、僕には。レクチャーしてくれれば良かったんじゃないですか？　教育を放棄した店側の問題でしょう」

地獄に落ちろ。

＊

学の姿が見えた。

陽がすっかり長くなり、六時半近くになっても、十メートル先の自宅ドアの前に立つ学の姿がはっきり見えた。あの子、あんなに小さかったっけ？　遠いから？　ちっちぇえ二十歳《はたち》だ。

あと五メートルのところで、息を多めに吸ってから声を掛けた。「学」

泰子を認めた学は、鍵穴から鍵を引き抜いた。泰子が近づくのを、照れ臭そうな表情で待っている。

どうしちゃったんだろう。胸が震えて、立ち止まった。

学は自分の子だと、なぜだか急に自覚した。

怒ったように学が言った。「お帰り」

「ただいま。今から仕事？」

「うん」目を合わせないまま通路を歩きはじめた。

学の背中に声を掛けた。「食事は？」

「済ませた」

「そう。行ってらっしゃい」

「行ってきます」

もったいない気がして、しばらく後ろ姿を見つめた。百七十センチはあるのにやっぱり小さく感じる。頼りないし、足も細過ぎる。昔は通路を歩く自分の足音を聞き付けて、ドアを開けて迎えてくれたのに。いくつの頃からか、帰りを待ってくれなくなった。

金色のドアノブに触れると、しっとりと冷たかった。

7

「県庁さん、夕方の休憩、行ってきていいよ」渡辺が言った。「その後、俺が行かせてもらうから」

「本当ですか？　ここに来て一か月になりますが、僕が休憩から戻ると、渡辺さんの姿が売場にないことがほとんどなんですけど」

「おっ、今日は機嫌悪いな。なんかあった？」小指を立てた。「女？」

「なにもありませんよ」白いワイシャツの袖口を引っ張った。「一人も売場にいないのはまずいと思いますので、すぐに戻って来ますから、それまでは必ず売場にいてくださいね」

「大丈夫だって。一時間ぐらい行って来ていいから」ガムの包みを剝《む》いた。

「は？」

大きく開けた口のなかにガムを放った。「働き過ぎって良くないからさ、今日は暇だし。いいから行って」

「それって――僕が戻って来たら、渡辺さんも一時間休憩を取るってことですか？」

「あっ」目を大きくして、嬉しそうに言った。「それ、いいアイデアだね」

「渡辺さん、いつも店にいませんけど、どこにいるんです？」

「ストックルームとかさ、いろいろよ。いいんだって、こんな店。てきとーでさ」ピッチャーのようにボールを投げるふりをした。

「てきとー？」

「もしかしてまたあのトラブタに叱られたの？」にやりと笑った。「だから、あのトラブタの言うことなんか真に受けちゃだめだって。他の人は話合わせてるだけだから。あの人さ、パートなんだけど権力もってるのね。この間のリストラのときなんか、トラブタが采配《さいはい》をふるったんだから。パートの癖に社員の査定までしたんだぜ。皆精一杯ついていきますって感じにしてるけど、実際はね、彼女一人なのよ。旦那に逃げられてっからさ、欲求不満なんだな。それで権力にしがみついてんの。トラブタの話はふんふんってその場で頷いてればいいから」

渡辺のような人間は県庁にもいた。縁故で入庁した高卒の職員に多かった。県庁では、てきとーな仕事をする者がいても、優秀な者が実権を握っているので、公務が滞ることはなかった。果たしてこの店に、優れた人物はいるのだろうか、はなはだ疑問だ。それに渡辺は隣県の住民だ。税金はY県に一切入らない。つまりこの店における渡辺の存在理由はないことになる。二宮は、渡辺の勤務態度をどう見ているのだろう。注意し、警告し、指導しているのか。二宮が渡辺より上なのか下なのかはわからないが、聡を非難するよりもまず、するべきことだ。

社員食堂で携帯のメールをチェックした。あいからは初デート以来一週間、毎日メールが来る。今日のは足の親指の画像だ。ペディキュアを塗ったという。他愛ないメールだが、不思議と心は和《なご》む。

「ケンチョウさん、彼女にメール？」

顔を上げると、小柄な女が笑っていた。白い作業着を着ているので、恐らく一階の食料品売場にいるのだろう。同じテーブルの、一つ空けた席に女が座った。たぬき蕎麦《そば》をトレーに乗せている。

「そういうんじゃありません。それに僕の名前は野村――」

あの足音が聞こえてきた。首を向けると、二宮がこっちに向かって歩いて来るのが見えた。咄嗟《とっさ》に携帯を胸ポケットに隠した。

「食事中ごめん。悪いんだけど、食事が終わったら行って欲しい場所があるの」

二宮が聡の隣席に座った途端、椅子の軋《きし》む音が響いた。

「どこですか？」

「今日は焼き蕎麦パンじゃないんだ」

「毎日食べるわけではありません」

小声になった。「店長が入院したの」

「はっ？」

顔を険しくした。「声が大きい」

声を落とした。「どうしたんですか？　確か昨日は元気で」

ぐっと身体を寄せてきた。「女に刺された」

「はっ？」

「だって……」

「はっはっばっかり、うるさい」

「警察には届けない。奥さんと本部にバレるとまずいから。店長は単身赴任中なのよ。奥さんと子どもは東京にいるの。で、こっちで適当に遊んでたんだけど、ドジって女に刺された。本部には入院は内緒。だから店の子たちにも内緒」

女だって？　渡辺だけじゃないのか。どうなってるんだ、この職場は。店を束ねる人間が不倫をしたうえ刺されるなんて低俗過ぎる。

二宮が続けた。「本橋さんは知ってる。一週間ぐらいで退院できるといいんだけど。本部から店長宛に電話があったら、接客中だとか、風邪をひいたと言って適当にごまかして。で、店であったことを店長に報告しに行く人間が必要なのね。決済が必要なこともあるし。で、病院と店を往復する係、県庁さんにお願いしたいの」

「僕がですか？」

「そう。ほかにいないのよ。いてもいなくてもいい仕事しかしてないのは」

あぁそうですか。


電車に乗って五つ目の駅で降りた。

受付で病室を確認し、隣の棟に移動した。エレベーターで六階に行き、一番奥の個室のドアをノックした。病室の向こうから女が返事をした。

わっ。もしかして修羅場？　ついてないな。

すっとドアが開いた。

美しい女が不思議そうに自分を見つめる。

「野村と申しまして、清水店長のもとで――」

「どうぞ」身体を横にずらした。

「失礼します」

病室に入り、奥に進んだ。

衝立《ついたて》の陰に清水がいた。

「やぁ、県庁さん。わざわざどうも」清水が笑った。「うちの店に研修に来てるお役人さんなんですよ」女に向かって説明した。

女は聡に向かって軽く頭を下げた。「それじゃあ、私はこれで失礼します。清水さん、お大事に」

「ありがとう」右手を挙げた。「ま、座ってください」清水が椅子を指した。「二宮さんに頼まれたんですか？」

「はい。よろしいんですか？　今の方」

「ええ。いいんですよ。それより座ってください」

丸椅子に浅く腰掛けた。「びっくりしました。どうされたんですか？」

「いやぁ、面目ありません。どうも私は女との別れ方が下手でして」肩を竦《すく》めた。「いつもゴタゴタしてしまうんです」

「もしかして今の？」

「えっ？　いえ、今のは行き付けのスナックのママです。昨日ママの店で飲んでるときに、いきなり彼女がやって来ましてね。あそこまで彼女を追い詰めていたとは――私を殺して、自分も死ぬと言いましてね」

「はぁ」

「怪我はたいしたことないんです。この通り、座っているぶんにはね。身体は平気なんですが、心がね」両手で心臓のあたりを押さえた。「深手を負いました。優し過ぎるとママに言われましたよ。もっと冷酷になるべきなんだそうです」

困った顔で清水を見つめた。どんな顔をすればいい？

「申し訳ありませんが、本部にも家にも内緒にして欲しいんです。もちろん役所にも」

「二宮さんからもそういう指示が出ています」

「こんなこと、役所じゃ――ありませんよね」

黙って首を左右に振った。

清水のテノールの声には張りがない。顔は一回り小さくなった気がした。

「二宮さんから頼まれて持って来たんですが」聡は紙袋を差し出した。

清水が掛け布団の上に次々と中身を出していく。「さすがだ。歯ブラシにコップに」蓋を開けて見せた。「ウエットティッシュまで入ってる。それと、これが申し送りノートですね。すぐに目を通しますので、ちょっとお待ちください。良かったらそこにある物、食べてください。ママが持って来てくれたので」

聡は病室の窓から向かいのマンションへ視線を向けた。ハンガーに掛けられた黒いTシャツが、揺れていた。

*

清水のいる病院に通いはじめて一週間が過ぎた。

清水から渡されたノートを二宮に戻し、寝具売場に向かおうと、二階の裏階段を上っているときだった。

「県庁さん」

まただ。店の皆が県庁さんと呼ぶ。名前があるんだ、名前が。

勢い良く振り返ると、本橋が立っていた。

「人事異動」

「は？」

「日用大工品売場担当」

「僕ですか？」

「今僕は君と話しているよね」眼球がせわしなく動く。

「いつからですか？」

「今から」

「えっ？」

「なんか問題ある？」

いつもと態度が違っている。もっと自信なさそうな感じだったのに。

「ここの売場はどうなるんですか？」

「渡辺さんに見てもらう」

勤務時間中に店で姿を見かけるのが一時間程度の人に、二つの売場を任せるというのか。なんということだ。別にこんな店がどうなったって構わないけど。

「まずは品出しして欲しいんだよね。ちょっと来て」

裏階段の踊り場に行った。

「凄いでしょ」本橋が積み上げられた段ボール箱を顎で指した。

「ええ」

「ポスが入ってるのね、うちは。ま、今どの店もそうだと思うけど。店の在庫残数が、設定された数字になると、自動的に物流センターから商品が送られてきちゃうのね。で、これ」嫌そうな表情で段ボール箱を見上げた。

聡も見上げた。

「どれからでもいいや。好きな箱を選んで。まず、伝票が箱に貼ってあるから、それと中身があってるかを確認してください。それから店に品出ししてください」

マジで？　自分がやる仕事じゃないだろう。誰か別の人間にさせてくれよ。

「県庁さんにこんな単純作業をやらせて申し訳ないんですけどね、こういう仕事もうちみたいな店には大事なんです。商品が並んでいないことには売れないわけですから。誰かがやらないといけない仕事なんですよ。ま、腐らずにやってください。私も入社して二年間は毎日品出しでした」黒い靴で箱を蹴った。「毎日ですよ」苦しそうな顔をした。「今では感謝してますけどね。商品の勉強ができましたからね。お陰で主任になったのは同期のなかで一番早かったんです」

「僕が、やるんですか？」

「そうです。県庁さんがやるんです。なにか問題でも？」

「適任者がいるんじゃないですか？　僕がやるほどの仕事ですかね」

本橋の鼻の穴が膨らんだ。「県庁さんは研修に来たんですよね。品出しの研修をしてくださいよ。商品のいろんなことがわかりますから」

「商品の勉強なら、管理データでしょ。アクセスさせてください。商品の流れ、見ますから。店はもっと僕を有効に使ったほうがいいと思います。その場の作業を割り当てるんじゃなくて、能力に見合った仕事を振ってください」

大きく息を吸った。「トップシークレットなんで、管理情報は開示できません。こっちが指示した作業のみをやっていただきたいんですがね」苛《いら》ついたように、段ボール箱に拳《こぶし》を何度もぶつけた。

「研修中の評価は店側がするってこと、忘れてませんか？　依頼した作業を断って、仕事を放棄したと書かれてもいいんですか？」

脅しかよ。参っちゃうな。頭の悪いヤツに査定なんかされたくない。

「とにかく、こっちが望んだことをしてください。いいですね」段ボール箱の山へ視線を移した。

ポスもこの程度ということか。在庫切れを防ぐせっかくのシステムも、店に入るまでしか管理できない。店に入れば、書類上では陳列が前提になっている。しかしその作業をコンピュータはできない。誰かが箱を開け、中身を出し、陳列しなければならない。するとこうなる。人がいない、忙しいと品出しが後回しにされて、商品は並ばず売り逃すことになる。こうして売れない店になっていくわけだ。

本橋が自身のつま先に向かって言った。「物流センターですべてチェックはしていますが、輸送中に袋が破損することもありますからね。そういうのを気をつけて見てください」

「今日一日では終わらないと思いますよ」

「もちろんです。いいんですよ、できるところまでで」

ため息をついた。「明日も続きをするんですか？」

「はい。いや、違うな。明日は休みを取る人が多いはずだから——売場をお願いするかもしれません。明日はまた明日決めます」

弱るよな、まったく。品出しとはね。

一つの箱を開けて、伝票と照らし合わせ、台車に積むまでに三十分かかった。残りの段ボール箱は十一個。

台車を押して補充をした。どの場所もすでにガラガラだった。いつからゼロだったのか見当もつかない。そうかと思うとほこりのたっぷり積もった商品もある。売れ残ってますと宣言しているようなもんだ。これは本部の責任じゃない。品出しの徹底ができない店側に問題がある。

背を伸ばしてレジを窺った。パートの女二人が喋っている。あいつらにやらせればいいじゃないか。台車を使えば女だってできるだろう。男女共同参画の時代なんだから、きっちりやらせればいいんだ。

怒りがふつふつと湧いてくる。能力に見合った仕事をくれよ。

潰《つぶ》した段ボールを一階の裏口に運んだ。

8

二階の従業員専用のトイレから出たところで、本橋とすれ違った。

「ちょうど良かった。話があったんだ」本橋が言った。

振り返った。「なんでしょう」

「店長がいなくなって十日になるでしょ。いつ戻るか目処《めど》が立たないっていうからさ」背中を丸めた。

「少し人を動かしたんだよね」

「動かした?」

「あぁ。忙しい売場に人を多く配置して、お客さんを待たせないようにしようと思ってさ」

早速か。目の上のたんこぶがいなくなって、もう動き出したようだ。

「そうですか」

「何人か異動させたんだけどね。ま、事後報告になっちゃったんだけど、二宮さんには言っておかなきゃと思ってね」

よく言うよ。反対されないように、終えてから言ってるくせに。「はぁ」

「教えておこうか？　移した人を」

「いいえ、別に結構です。売場を見ればわかることですから」

「そう」真面目くさった顔で言った。「店長にも困ったもんだよなぁ。女に刺されるなんて、恥ずかしいったらありゃしないよ。店をこんな状態で渡されたって、力の発揮の仕様がないよ」壁のポスターの捲《めく》れている左隅を、深爪の指先で何度も押し付けた。「だからって帰りをただ待ってるわけにはいかないからね。店長がいない間にさらに売上が落ちたら、なに言われるかわからないからさ。ちょっと頑張ろうと思ってね」

やだやだ。この男、大嫌い。はっきりわかった。こいつは小心者の癖に野心がある。最悪だ。

本橋が赴任してきて二年が経つ。いつもは店長の仰る通りと言ってるだけだった。清水の入院によって本橋は店のトップになった。このチャンスを活かして早く本部に戻りたいのだろう。

「店長の代わりにはなれませんが精一杯やらせてもらいますので、頑張りましょう、二宮さん」

わざとらしいったらありゃしない。

心のなかで舌を出した。「はい」

9

仕事を終え、陽平との待ち合わせの居酒屋へ向かった。Y市方面に行く電車に乗って、M駅で降りた。昨日から続く雨は激しくアスファルトに打ち付けており、タクシー乗り場に並ぶ人の列は十メートルを超えていた。五月も今日で終わりだ。もう梅雨に入ったのだろうか。少しうんざりした気分で傘を広げた。

ロータリーを回り込んで一つ目の信号を渡り、飲食店ばかりが入っているビルに着いた。五階の居酒屋に入ると陽平の姿を探した。カウンターで手を挙げた陽平はすでに赤い顔をしていた。

「突然飲みに誘って悪かったな」

「いや」隣の赤い座布団に尻を乗せた。「待たせたのか？　ん？　僕が陽平を待たせたなんてはじめてじゃないか？」

「それは——俺がいつも遅れて来るって言いたいのか？」

「時間通りに来たことあったか？」

「ないか？」天井を睨《にら》んだ。「かもな」大声で笑った後、メニューを聡に差し出した。「なににする？」

「僕もビール」注文を済ませて、おしぼりで手を拭いた。「さっき携帯で喫茶店にいるって言ってたけど、そこから来たのか？」

「まさか。一度会社に戻ったよ。いやぁ、営業ってたいへんだなって顔してね。昔もらった名刺を、今日交換したみたいに机に出したりしてさ。それからここに来たんだ」

陽平は不動産会社で営業をしている。汗っかきで、いつもハンドタオルを持ち歩いていた。

「大丈夫なのか、それで」

「今日はそういう日だったんだ」

「なんだ？」

「一か月のうち、二十二日間を会社の仕事にあてるのはやめたんだ。もったいないからな。十七日間にするんだ。その代わり一日のノルマはキツイけどな。浮いた四日間を将来のために使うんだ。俺独立しようと思ってるからさ。いつかはお前の、なんだっけ——産業支援班にバックアップしてもらうからさ。月に四日はベンチャーオーナーたちとの交流会や、勉強会に参加して過ごすんだ。で、残りの一日をリラックス日にしてる。だらだらと過ごすんだ。映画観てデパートうろついて、喫茶店でだらけきるの。それでメリハリ付けるんだ。俺なりのね」

「へぇ。陽平らしいな。前向きなんだか怠け者なんだかよくわからないけど」

「あぁ」笑った。「ビールが来たな。よし、乾杯しよう」

ジョッキを合わせた。

大学三年のとき、同じゼミを選択して親しくなった。同い年なのだが先輩のように見えるときもあった。躓《つまず》いたとき、陽平に尋ねると、いつも答えをもっていた。悩んでいることは、すでに陽平が乗り越えたものであることが多かった。なぜいつも陽平が自分に先んじているのかはわからなかった。学生の頃にやった合コンで、もし女だったら誰と結婚したいかと、くだらないランキングをつけたことがある。六人いた男たち全員が陽平の名を挙げた。男が惚《ほ》れる男ということで、そのときの合コンは陽平の独り勝ちになってしまった。

「どうよ、仕事は？」

「スーパーか？」

「そうよ。ほかに仕事してないだろ」

「あぁ。ま、一年と思ってしのいでるって感じかな」

「おいおい。カウントダウンしてないと保《も》たないってことか？」

段ボール箱の山が頭に浮かぶ。「あそこに一生いろと言われたら——即辞めてるだろうな」

「聡は役人向きだかんな。お客さんに頭下げて買ってもらうなんて、できないんじゃないの？」

「そんなことはないさ」

むっとしてジョッキを傾けた。

ビールを旨そうに飲んだ。「スーパーでどんな仕事してんの？」

「そういうこと、聞かないでくれ」

「なんで？」

「屈辱的だから」

「なによ。ますます興味あるね。なに、どんな仕事」

「納品された商品の品出し」

「なんで？　品出しのどこが屈辱的なんだ？」

「だって、そんなのパートのおばちゃんにだってできる仕事じゃないか」

「そうか？　スーパーのことはよく知らないけど、俺なら品出し、やりたいな。商品のこと勉強できそうじゃん」

「店長代理もそんなこと言ってたよ。命令するのが好きな男でさ。霞ケ関から出向してきてる省様と同じで、なんにもわかってないくせに、命令ばかり出して、周囲を混乱させるんだ」ビールを一口飲んだ。「だいたいさ、どの洗剤が売れてるかわかったって、商品開発ができるわけじゃないし、並べ方を多少変えるぐらいなんだぜ。そんな勉強は不要だよ」

「そうか？」

「そうだよ。スーパーで学ぶことは一つもないね。一年間を無駄に過ごすしかない研修だ」

「悲観的だね」

「あぁ」まぐろをつまんだ。

「ま、元気出していこうよ。一年なんてあっという間だ。そうだ。お前を励ますために、また合コン企画するよ」

「また？　なぁ、どっからそういう話、もってくるんだ？」

「ありとあらゆるところからよ。今度のはどういうのがいい？　リクエスト言ってよ。なるべく希望に添うメンバーにするからさ。そういえば、この間の合コンのとき、女の子とメルアド交換してなかった？」

「あぁ、あいちゃんね」

「あいちゃんって言ったっけ？　どうなった？」

「この間、うちに泊まってった」

「マジで？」聡の左腕を強く摑んだ。「あの子、いくつだ？」

「二十三」

がっくりと頭を下げた。「俺あんだけ盛り上げたのに、メールに返事くれないんだよ。おもしろいおじさんで終わっちゃってんだよ。なのに、なんでお前だけ」顔を上げた。「お前、顔いいもんな。背高いし。今から牛乳飲んでも遅いよな」

「とりあえず連敗記録更新は避けられたよ」

「合コンが四月半ばだったから――一か月半か。楽しい時だな。手料理でも作ってもらったのか？」

ビールを口に含んだ。「作ろうとする気持ちはあったみたいなんだけどな」

「酷《ひど》いのか」

「エプロン姿が可愛かったから許したって感じだな」

「なんだよ」

「クロワッサンを上下に切って、間に板チョコ挟んだのが出てきた」

陽平が箸を止めた。「ほかには？」

「ポタージュスープをスプーンで掻き回したら、なんか引っかかるなって。粉が溶け切ってないのかと思ったんだけど、違った」

「なんだった？」

「餅《もち》。いそべ巻き」

「……ハイセンスだな」

「あぁ」

「刺激的で楽しそうだな。ま、うまくいってるんなら良かったよ。合コンの幹事としてはほっと安心よ」

「うまくいってるかどうかは……わからないな」

「なんだよ。うまくいってるからお泊まりなんだろ」

「とりあえず、僕のこと好きみたいだし。僕もなるべく彼女に合わせるようにしてるから」

「へぇ。彼女なにしてるんだ？　学生か？」

「いや。カフェでバイト。バイトだから月に十六万ぐらいしか貰えないってぼやいてるよ。家賃で半分もっていかれるから、生活ギリギリだって。どっかの企業の正社員になればいいのにさ。そういう気はないみたいなんだよな」

「へぇ。家賃がもったいないからって、そのうち一緒に暮らすようになるんじゃないか？」

「ええ？　そうかな？」

それは……面倒だな。

＊

足元に視線を落とした。白い長靴がテロテロと光っている。これは仕方のないことだ。受け入れるしかないんだ。法学部を出て公務員上級試験に合格した自分が、こんなことになるなんて。

本橋の一声で、聡はたったの五日で一階の惣菜売場に再び異動になった。この店では辞令書の交付などは一切なく、口頭で異動を告げられる。本橋の嫌がらせとしか思えない。

およそ三千三百平米の一階食料品売場には、三万点以上の商品が並び、約五十名のスタッフが働いていた。入口すぐ右にあるのが惣菜売場だ。後ろはガラス張りになっており、惣菜を作る様子が客から見えるようになっている。

惣菜調理室は細長い部屋で三十平米はある。中央に大きな作業台があり、壁に沿ってシンクや調理器具が並ぶ棚がある。作業風景を見せるために、ガラス前には、店側に向けてテーブルが置かれている。

白い帽子をかぶり、手を洗った。調理室の入口横に貼られた紙に視線を送る。『しっかり手を洗て、にっこり笑顔で頑貼りましょう』——間違っている。送り仮名も漢字も。吐き気に襲われた。

人生はじまって以来最大の屈辱だ。自分がなにをした？ どんなヘマをやったというんだ。なぜこんな目に遭わなきゃいけない。ここでなにが学べる？ 県民の食生活か？ 親が見たら泣くだろう。恥ずかしくて知り合いに見られたくない。小学校からずっと成績優秀、品行方正。期待の星だったのだ。

「ケンチョウさん、ポテトサラダ教えます」金麗美《きんれいみ》が言った。

聡は固い表情で頷いた。

くそっ。カタコトの日本語が氾濫《はんらん》する惣菜調理室で、客用のデモンストレーションをするなんて。

金の平べったい顔は肩までのストレートヘアで囲まれ、頬にはたくさんのそばかすが浮かんでいる。

二十五、六歳ぐらいに見えた。

金の難解な日本語での説明に気持ちを集中したが、よくわからなかった。

まずジャガイモの皮剝きに取りかかる。

ジャガイモの袋にはバーコード付きの値札が貼ってあった。

金に尋ねた。「これって商品なんじゃないですか？ 使っていいんですか？」

「いいですよ。古いから芽はしっかり取ってください」

「古いって、売れ残ったものをポテトサラダにするってことですか？」

「はい」

「それって」金を見つめた。「いいんですか？」

「ジャガイモ腐ってない」怒ったように言った。「捨てるのもったいない」

「まぁ、そうですけど」いいのか？　それで。

「ジャガイモはコロッケにも使いますから、たくさん必要。がんばって剝いてください」

「はぁ」

「椅子、座ってください。立ってると疲れる」

「あぁ、どうも」丸椅子を探して腰掛けた。

「上の階よりここ楽ですよ。作るの楽しいです」

冗談じゃない。ここは社会の底辺じゃないか。僕はこんな谷底で働く人間じゃない。

金が美味しそうな揚げ色のコロッケを、水道の水で洗い出した。

えっ？　洗ってどうするんだ？　手を止めて金の動きを見つめた。

次に水洗いしたコロッケを持って、ガス台に近づく。

ガラスの左右の両端に四つずつコンロがあり、その前はホーローの壁になっている。死角になるため、ガス台周辺は店側からは覗けない。

金は鼻歌を歌いながら鍋を覗く。はじめて聞くメロディーだ。

子守唄のようなハミングが途切れた。いきなりコロッケを鍋に落とした。

ジュジュジュ。

油の跳ねる音がする。

聡は急いで鍋に近づいた。鍋の油のなかでコロッケが揚げられている。

「これってなんです？　今洗ってませんでした？　油のなかに入れて大丈夫なんですか？」

「大丈夫。慣れてますよ」

「慣れてるって……なんでコロッケを二度揚げるんです？」

「コロッケは周り、パリパリが美味しいでしょ。でも昨日のはパリパリじゃないから。水で濡らしてから揚げます。またパリパリになって美味しくなります」

「えっ？　昨日の売れ残り？　また揚げて出すんですか？」

「はい」

「お客さんに周知して、納得のうえで買ってもらってるんですか？」

「なに？」わけがわからないという顔をした。

「えっと、これ、昨日一個いくらですか？」

「八十円」

「じゃ、もう一度揚げて、今日出していくらですか？」

「八十円よ。コロッケは八十円」

「だって……同じ値段で出してていいんですか？」

「どうして？」怪訝《けげん》そうな表情を見せた。「コロッケの値段、毎日変わったらへんでしょう」

眩暈《めまい》がした。こんなことがあっていいのか？　これは、不正だ。


昼休憩を終えて調理室に戻ると、ルブカ・アニシモフがシンクの横でタバコを吸っていた。ガラスに視線を向ける。シンクは奥まった位置にあるため、店からルブカの姿は見えない。それをいいことにゴミ箱の蓋の上に腰掛け、グラビア雑誌を広げている。足元には吸殻がいくつも落ちていた。

「このなかでタバコを吸ってもいいんですか？」聡は尋ねた。

ルブカは聡より五センチぐらい背が低く、首がめり込んでいるように見えるほど、肩の筋肉が盛り上がっている。瞳は濃い緑色をしており、肌は透き通るように白く、年齢不詳の男だ。

ルブカがゆっくりと顔を上げた。

「ここは調理室ですから、衛生環境には注意するべきではないでしょうか？　タバコをここで吸ってもいいことになってるんでしょうか？」

ゆっくりと首を左右に振った。「日本語むずかしい。ゆっくりおねがいします」

聡はジェスチャーで、タバコを吸うならドアの向こうだと伝えた。

ルブカが親指を立てた。「オッケー」

「まったく。ここはどうなってるんでしょうね」

黙々と茹《ゆ》でたジャガイモを潰している陳秀建《ちんしゆうけん》に向けて言った。

リアクションはなかった。

陳は店で働きはじめて八年の、惣菜調理室で一番の古株だった。つるつるの白い餅肌の持ち主で、三十歳くらいにしか見えない四十五歳。額の右に大きなほくろがあった。

日本語がわからないのだろうか。

遅いスピードで、大きく口を開けて話しかけた。「コロッケの——二度揚げは——いつから——やって——るんですか？」

陳はボウルにラップを掛けると、黙って調理室を出て行った。

感じ悪い男だ。

金の指示に従い、冷蔵庫を開けると、肉と魚のパックが大量に入っていた。嫌な予感がした。一つを取り、ラベルを確認する。消費期限に昨日の日付けが記されていた。

「この肉、どうするんですか？」金に尋ねた。

「どれ？」

「これ」パックを見せた。

「ハンバーグにします」

「でもこれ、消費期限過ぎてますよ。売れ残りですよね」

「そう。まずスライスして売ります。残りましたらひき肉にして売ります。それでも残りましたらこっちに回って来ます」

「えっ？　それで？」

「ハンバーグやミートボール、シュウマイ、コロッケになります」

「大丈夫なんですか？　食中毒とか」

「大丈夫。火通すから」

「火を通したからって万全じゃありませんよね」パックに視線を落とした。「もしかして弁当の具や惣菜って、みんな売れ残ったものを加工してるんですか？」

言葉を探すように視線を泳がせてから言った。「リサイクルね」

愕然《がくぜん》とした。どうなってるんだ、この店は。

今小売店は表示にナーバスになっているんじゃないのか？　店にはトレーサビリティーの端末がある。あれで客が調べればすぐに——。

精肉売場の端にある端末まで走った。牛肉のパックを手に取り、十桁《けた》の固体識別番号を打ち込んだ。あっ。牛の生年月日と雌雄の別と飼養施設の所在地と……加工の情報はない——。

野菜売場に向かった。生産者夫婦の笑顔の写真と、肥料の説明ポップが掲げられていた。はっとして、惣菜売場にダッシュし、唐揚げ弁当の蓋に貼られたシールを見た。加工年月日と消費期限が時間付きで記されている。そっと持ち上げて、容器裏のシールを読んだ。米、鶏唐揚げ、煮物、ウインナー、キャベツ……加工弁当はこの程度の表示でいいのか。

酷過《ひどす》ぎる。こんな仕事に加わるわけにはいかない。

＊

助手席のあいが言った。「のむのむ、怒ってる？」

「えっ？　いや」

「なんか、今日怖い顔してるよ」

「そお？」息を一つ吐いた。「昨日から酷い職場に異動になってね。ちょっと問題点があってね。問題点というか、問題だらけなんだけど」信号で止まった。「僕は変えようと訴えてるんだけど、全然聞いてもらえなくてね。研修者は黙ってろってことなんだろうけど」アクセルを踏んだ。「知ってしまった以上、変えてもらわないと困るんだよね。僕の立場が悪くなるからさ。僕まで巻き添いに遭いたくないいんだよね」

左折でハンドルを回したとき、ちらっとあいを見た。

不思議そうな顔でこっちを見ていた。

「あぁ……わかんない、よね。難し過ぎるね。デパートの駐車場もうすぐだから」

「うん」

「そしたら、なんだっけ？　バッグ？」

「そう。プラダのヒップバッグ」

「買ってあげるから。だからもうちょっと待ってね」

「うん。のむのむは、うるうるに怒ってるんじゃないのね？」

「怒ってないよ」笑って見せた。「全然怒ってないだろ」

「うん」

マークIIをY駅前の地下駐車場に入れて、あいと七階に上った。

携帯で呼び出された聡は、いったん自宅マンションへ車を取りに行き、K駅の駐輪場の前であいを拾った。先週、話の行きがかり上、なぜかあいにプレゼントをすることになってしまった。

プラダのショーウインドーをあいがじっと見つめる。隣で聡も覗いた。高っ。ナイロン製でなんで三万もするんだ？　あの三角マークのせいか？

三万三千円のヒップバッグと四万二千円の財布を買わされた。

最上階のレストランでピザを注文した。

あいが買ったばかりの財布に、金を入れ替えた。「ありがと。ずっと欲しかったんだ」

「バッグより財布のほうが高いんだな」

「そうだね。ピザ早く来ないかな？」

「腹空いた？」

「ううん。あのね、八時に約束してて、ここを七時半には出たいから。ここの駅から電車で行くよ」

「え？　そうなの？　今日は泊まってかないの？」

「泊まらない」

「最近泊まらない、よね」

「そお？」

「そうだよ」

「今度泊まるし」

「なんだ」

「がっかり？」探るような目で覗き込んできた。

「あぁ」

「今度、ね」首を傾《かし》げて、にっこり笑った。

10

「お話があります」野村が固い顔で言った。

うわっ、面倒臭っ。わざとらしく腕時計を見た。「明日じゃダメな話？」

「はい」

はぁ。切れる寸前って顔しちゃってるよ。力の抜き方知らないんだろうな。渡辺と足して五で割ったぐらいでちょうどいいのに。

「あと十分で上がりなのよ。着替えてから行くから、商店街のなかにあるドトールで待っててくれない？」

「わかりました」

野村の後ろ姿を見送った。タポンタポンと長靴のなかで白いズボンが揺れている。県庁のお役人が惣菜担当にさせられて腐ってるな。

もし自分に相談があったら反対していた。店長が入院してから、本橋は勝手に人を動かしている。毎日誰かが異動命令を出されている状態だ。

ロッカーのドア裏に付いている小さな鏡に顔を映す。いつもは脂を取るだけなのだが、眉と口紅も直した。ん？　なんで県庁相手に顔なんか作ってるんだろう。

ドトールで野村の姿を探すと、一番奥の席に怖い顔で座っていた。

アイスティーを手に近づく。「お待たせ」

「いいえ。勤務時間が終わったのにお引き止めして申し訳ありません」

「いいのよ。誰かが待ってるってわけじゃないから」

「そうなんですか？」

「息子とはね、生活のリズムが違うから。それで？　どうかした？」

「一昨日、突然一階の惣菜担当になりました」

「そうだってね。たいへんだろうけど一階で一番人気なのよ。だからいい勉強になるんじゃない？」

「なぜこの僕が惣菜担当なのか、異動理由を説明されていません。僕のスキルが活かされるとは思えない」

あんたのスキルってなんだよ。「そう」

「ジャガイモの皮を剝くのが速くなっても、公務にどう反映させればいいんです？　それに問題はですね、売れ残った食材を使用して弁当や惣菜を製造販売している点です」

「あぁ……そのことね」

そうだよな。役人としちゃ、黙って見逃せないよな。本橋が野村を惣菜担当に異動させたのが間違いだ。

「私もね、歴代の店長たちに言ったことはあるのよ。食中毒でも出したらたいへんなことになるって。でもどこの店でもやってることだって言うのよ。それに正規の食材を使うと、単価が上がっちゃうし、粗利《あらり》も薄くなってね。店長たちは前任者が出していた数字より悪くはしたくないから、どうしてもね。お役所と一緒よ、前例を踏襲していくって感じ」

「聞き捨てなりませんね。役所はただの前例主義ではありません。県民の幸福な生活を十年、二十年と保障する長期ビジョンに立ったうえで仕事をしているんです。民間のようにコロコロ方針を変えてはいけない事柄もあるわけですよ。ですが、不正の継承はしない。二宮さんの役所に対する偏見です」

「そうかな」

「困るんですよ」しかめっ面《つら》をした。「僕が研修している店で不正があるっていうのは。どんなに僕が反対していたとしても、外からは店と同類と思われてしまいます。店以上に糾弾されかねません」

「さっきから熱くなってるけど、県庁さんが気にしてるのは、そこなのね」

「なんですか？」声を荒らげた。

「お客さんからの信頼を裏切る行為だからやめてくれってことじゃないわけね。県庁さんが店とグルになってると思われたくないと、そこなんでしょ、気にしてるのは」

大きく息を吸い、なにか言い出そうとしたが、泰子を睨んだだけだった。

図星か。こいつは自分の立場を死守することしか頭にないんだな。

「とりあえず、県庁さんに火の粉が掛からない方法がないか、本橋さんと相談してみるわ」

「意見書を提出します」

「は？」

「問題点は廃棄食材を使用した惣菜に限ったことではありません。裏階段には在庫が山積みで、消防法で規定されている避難経路が確保されていません。そういったこともあわせて僕からの意見書を提出させていただきます」

さいですか。

＊

一週間後に渡された野村の意見書は、Ａ４の用紙で五十二枚もあった。昼の休憩時間内では読み終わらず、自宅に持ち帰った。

あっ。つくねのタレを書類につけてしまった。ま、いっか。答案用紙じゃないんだし。

書類をテーブルに置いて番茶を啜《すす》った。完璧なんでしょうな。この書類の通りになれば完全無欠の店になるのだろう。正しいよ。でも――この書類には人間がいない。客も従業員も存在していない。見えてないんだ、なにも。

ビールを飲みながら阪神戦のテレビ中継に目をやった。十一対〇で負けている。時々なんでこんなチームを好きなのかわからなくなる。

リビングのドアが開いて、学が現れた。

「お帰り。食事は？」

「食べる」

「そう。今日はカレーにしたよ。珍しく料理しちゃった。手、洗って、うがいしてきて」

学は素直に出て行った。

書類を隅に寄せ、白い皿に盛ったカレーライスをテーブルに置く。

「いただきます」学が小声で言った。

冷蔵庫からゴボウサラダとカボチャの煮付けを出した。

「パックのまま出さないで皿に移し変えたら？」学がカレーライスに向かって言った。

「えっ？　そしたらお皿を洗うことになるじゃない。水の無駄。洗剤の無駄。地球環境に優しい生活はパックのまま食べるの。味は一緒なんだからいいじゃない」

「お年寄りはそういうの喜ぶよ。皿にきれいに盛ると、それだけで気分が変わっていいって」

「だったら自分でやればいいじゃない。年寄りにやってあげてるんだったらさ。家ではお金貰えないからって、出てきたパックに文句を言うってのは、ちょっとえげつないんじゃないの？」

「母さんは間違いなく嫌われるお年寄りになるよ」

「憎まれ口ばっかり利いて」

「母さんは所長に似てるよ」

「なに？」

「働いている施設の所長に似てる。僕が意見を言っても、すぐに否定する。自分と違う意見の人間を受け入れようとしないんだ」

ここにもいたよ、青臭いのが。返事するのが面倒でテレビへ視線を向けた。

「息子の話より阪神のほうが気になるんだね」

「なんかあったの？　職場で」

黙々とカレーを食べる。

「あったんでしょ。あったから気にしてくださいって、からんできてるんでしょ。いつもそう。普段はこっちが話しかけたって碌《ろく》に返事しないくせに。職場でちょっと嫌なことがあると突っかかってきて、僕のことなんかなにもわかってくれないって一人でいじけて。そんな都合良くいきますかっていうのよ」

一つ睨んだ後、ゴボウサラダをかっ込んだ。

「都合が悪くなるとだんまりなんだから」

立ち上がり、十四型テレビの前に移動した。ビールに口をつけると、すっかりまずくなっていた。背を伸ばして、学の様子を窺うと、背中を丸めてスプーンを動かしているのが見えた。やだ、あの男にそっくり。別れた夫もあんな風に身体を丸めて、口を突き出すようにして食べていた。鳥肌が立ちそうだ。

テレビに目を向けると、阪神がノーアウト満塁のチャンスを台無しにしたところだった。

再び学に視線を向けた。この子は大丈夫なんだろうか。一人で正義漢ぶって、それを振り回している。あの県庁みたいに職場で浮きまくってるんじゃないだろうか。

学は月に二万円の食費を入れるだけで六畳の部屋を使っている。そのうえ洗濯も掃除もしてくれる便利な母親がいる。自立してもいないくせに、言うことはどんどん生意気になっていく。自分の顧客にだけ特別の愛情を注ぎ、それ以外の人間を否定しているように見える。こんな子にでも年寄りは感謝の言葉を並べるだろう。それを鵜《う》呑《の》みにして、なんでもできる気になっていないか。筋の通らない世の中で、それでも生きていくしかないってことをどうやったら教えられるんだろう。

テレビに意識を向けた途端、相手チームのピッチャーにホームランを打たれた。やれやれ。

11

「ご検討ください」聡は意見書を差し出した。

本橋が顔を歪《ゆが》めた。「研修にいらしただけなのに、当店の足らない部分をご指摘いただいたと――それは感謝しなければなりませんね」

「全部を一気に変更するのは難しいと思います。しかし、できるところからやっていけばいいと思うんです」

「読んでおきますよ」

「よろしくお願いします。それから各売場用のマニュアルは、それぞれの責任者にお渡ししてあります」

店長室を出ようとしたとき、本橋が言った。「県庁さんはいつまででしたっけ？」

「いつまで？　研修期間のことですか？　四月二十日から一年間ですから、来年の四月十九日までです」

「そうでしたね。今が六月ですから、あと十か月ぐらいですか。いえ、確認したかっただけです。どうもご苦労様でした」

「失礼します」

ドアを閉めて、聡は大きく息を吐いた。一昨日は徹夜で意見書を仕上げた。昨日は本橋が体調不良で休みだったので、先に二宮に渡していた。

これまで二宮には一方的にダメ出しをされてきた。しかしこの水準の高い意見書を読めば、僕の実力を認めざるを得ないはずだ。役所には店を改善した実績を携《たずさ》えて戻るとしよう。改善に向けてのスケジュール案も添付した。プラン、ドゥ、チェック。この三つの基本を絶えず行えば改革は確実に進む。どんな職場でも有効なはずだ。

二階の特設会場で、除湿機を拭いている二宮に声を掛けた。「たった今、本橋さんに意見書を提出してきました」

「あぁ、そう。なんだって？」

「読んでおくそうです」

「読んでおく、ね」

「二宮さんは？」

「えっ？　あぁ、読んだわよ。ざっとね」

「どうですか？」

「感想？」

「はい」

「もうちょっと自分の考えを整理してから話すわ」口を歪めて苦そうな顔をした。「ところで病院の店長に変わったところない？」

「いえ、別に」

「そう。だったらいいんだけど」

「なにか？」

「ううん、別に」


夕方過ぎに、桜井から電話を貰った。話があると言うので、家に誘った。

八時になる前に、勢い良く桜井がやって来た。かすかに酒の匂いがした。

「飲んできたのか？」

「少しな」フローリングに直《じか》に座った。背広を脱いで、後ろのソファに置いた。

「言ってやった」

「ん？」冷蔵庫から缶ビールを出してテーブルに置いた。

「この研修がいかに無駄かってことを綿々と綴《つづ》ったレポートを持参して、係長に会った」

ついにやったのか。「マジで？」

「あぁ」ビールをぐびっと飲んだ。「そしたらさ、まだ二か月じゃないかってさ」

係長の言いそうなセリフだ。「それで？」

「レポートは預かるが、研修期間を短縮したり、制度そのものをなくすことはできないだろうってさ」

「そうか」

「強硬手段に出る」

「どんな？」

缶ビールを傾ける。「まず出社拒否だ」

「スポーツクラブに行かないのか」

「あぁ」

「でも」缶を回した。「県庁は痛くも痒《かゆ》くもないだろう」

「最後まで聞けよ。その段階で役所に戻してくれればそれでいい。そうじゃなければ、俺が出社してないことがマスコミにばれたみたいだと脅せばいい」

「はあ？」

「役所は面子《メンツ》を気にするからな」トンッと缶ビールをテーブルに置いた。

「……そんなもんかな」

結論を出すのが少し早過ぎないだろうか。

「お前は本当にそれでいいのか？」

「ん？」

「そうやって役所に戻っても、やりたい仕事はさせてもらえないかもしれないぞ」

「まぁな。俺も天秤《てんびん》にかけたよ。自分の将来と、今の我慢とを。でもダメだ。臨界点を超えた」二本目のビールのプルトップを開けた。「それにさ、起死回生のチャンスがゼロってわけじゃないだろ。しばらくは冷や飯だろうけど、風向きが変わることもあるからな」きっぱりと言った。「で、そっちはどうよ」

「問題点がたくさんあってね。改善点をまとめた意見書を出したよ」

「へぇ。すっかりスーパーに根付いちゃってんだな」

「そんなんじゃないけど」意見書通りに進めていけば、間違いなくあの店は正常な状態になる。根付いてなんかいない。「良くないことは良くないからさ。こっちは店長が女に刺されて入院中だ」

「へぇ」

「いろんな人がいるよな」

*

「読んでいただけましたでしょうか？」本橋を睨み付けた。「意見書を提出して、もう十日になります」

「いや。店長の件があってね、いろいろとたいへんなんですよ。本部との打ち合わせやなんかでね」

タバコをくわえた。「売場を替えましょうか？　最初はどこだったんでしたっけ？」

「不正が行われている店で働くことはできません。いいですか――」

「悪いけどあとにしてくださいますか」激しく瞬きを繰り返した。「忙しいんですよ、私も。いろんなことをいろんな人が言ってくるもんでね。次々とさばいてはいますよ。それでもですね」瞼《まぶた》を強く擦《こす》った。「二人分――いや、三人分働いてる状態なんです」

唇を噛《か》んだ。せっかくの提案を読みもしないなんて。昼飯を食べながらだって読めるだろうに。『忙しい』を言い訳につかう人間は、仕事ができないものと相場が決まっている。

階段を降りて、社員食堂へ行った。自動券売機に並ぶ列も気にくわない。条例を変えようと言ってるんじゃない。たかが一軒のスーパーを正常な状態にしましょうって提案だ。こんな店はいつか潰れるだろう。

日替わりランチのボタンを押した。なんでも食ってやる。

トレーに置かれたのは豚肉の生姜焼きだった。なんてこった。

二宮の姿を見付けて近づいた。

「ここ、よろしいでしょうか？」

「あら、県庁さん。どうぞ」

「本橋さんに提出した意見書なんですが、読んでもらえないんです」勢い良く箸を割った。「忙しいそうです。毎日ずっと、二十四時間忙しくて、僕の意見書は読めないそうです。催促に行ったら、売場を替えようかなんて見当違いのことを言われました」

「そう。それは本当かもね。店長が辞めることになって、いろんなことが本橋さんに降りかかってきているときだから」

「辞める？」

「そう」

「辞めさせられるんですか？」

「いや、本人の意志」

病院で顔を合わせても、なにも言ってなかったな。

「清水さん、なんか言ってなかった？」

「特には。いつも機嫌良く、本橋さんと二宮さんが書いた申し送りノートを読んでましたけど」

「そう……ま、そんなこんなで本橋さんは本当に忙しいのよ」二宮が粉チーズの筒を叩いた。

冷めた口調で言った。「読むだけですよ」

「まぁ、ね。五十二枚だけど」

「いったいどれくらいかかるんですか？」聡が尋ねた。

「なにに？」

「不正を改めてもらうのにですよ」

大袈裟に身体を後ろに引いた。「改めるかどうかは上が決めることだから。変えるのか、変えないのか、変えるとするといつなのか、私にはわからないわ」上半身を乗り出した。「県庁さんの研修期間が終わっちゃったりしてね」

「なにそんなに時間がかかるんですか？」

首を捻《ひね》った。「店長がエリアマネージャーに相談して、その後ブロック長に話を通して、最後に本部が許可すれば——するかな？　先は長いわよ」キャベツにソースをかけた。「大きな会社になるとお役所と一緒で動きが遅くなっちゃうもんなのよ」

二宮は役所に対して偏見が強くて困る。見ている規模が違うのだから、県庁での決定に時間がかかるのは仕方ないことなのだ。

「役所だったらこういうときどうするの？」

「役所でこのような不正を目にしたことはありません」

このままこの店に身を置くことはできない。上司に事情を話して正式な意見書を出してもらうか、研修先の変更をしてもらうよう――いや、それも難しい。桜井の話を思い出した。

聡の場合は、店で不正のある特異な例だ。それでも研修先の変更や中止は聡の経歴に汚点を残すことになるのか。所属長も、研修を主催する人事委員会の顔も潰さずに、つつがなく研修修了のポイントを人事記録に残すにはどうしたらいいのだろうか。

豚肉を白飯のなかに埋めて頬張った。

「ね、県庁さんってさ、個性的な食べ方するわよね。焼き蕎麦パンの紅生姜を摘《つま》んだかと思えば、今日はご飯のなかに豚肉を隠してから食べてるし。ゲームかなんか？」

「えっ？」

「豚肉をご飯にいったん沈めてから食べてるから」

「あぁ」丼を置いた。「豚肉と生姜、どっちも苦手なんです」

「じゃ、なんでそれにしたの？」

「頭にきてたもんで、中身を見ずに日替わりランチのボタンを押してしまったんです」

二宮が笑った。

「そんなに笑わなくてもいいじゃないですか」

「いやぁ、かわいいなぁと思って」

「かわいい？」

「そう。うちの息子、二十歳なんだけど、うちの子よりかわいいわ」

＊

裏口から駐車場に出た。

強い日差しがアスファルトに突き刺さっている。社員の車のフロントガラスには銀色の日除けシートが置かれていた。まだ六月の後半だというのに、すでに夏がはじまったかのような暑さだった。

駐車スペースの左右の端に、アイドリング禁止をうたう看板が一つずつ立っているのを確認し、頷いた。

数人の男性社員たちが談笑しながらタバコを吸っている。

男たちは聡の姿を認めた途端、話をやめ、そそくさとタバコの火を消した。

聡が自動販売機で缶コーヒーを買って振り返ると、皆の姿は消えていた。

ベンチに腰掛け、缶コーヒーを啜った。

リヤカーに犬を乗せた浮浪者風の男が、駐車場を横切りまっすぐ物置に向かう。物置の扉を勝手に開け、なかに積まれた段ボールをリヤカーに乗せはじめた。

渡辺が小銭の音をさせながらやって来た。「おぉ、県庁さんか。お疲れ。あれ？　部長、今日はどうしたの？　こんな時間に」男に近づいた。

「こいつが調子悪くて」地面にうずくまっている犬を指した。「様子を見てたもんだから、来るのが遅くなったんだ」

「へぇ。なに？　変なモンでも食ったの？」屈んで犬の様子を覗き込んだ。

「こいつは、ここが廃棄した弁当しか食ってないんだけど」

「じゃ、それが原因だ」

「二度とここの弁当は食わせないようにするよ」

「そのほうがいいな」犬の頭をひと撫でし、立ち上がった。

渡辺が自動販売機にコインを入れた。

「在庫整理と品出しに関するマニュアル、渡辺さんも目を通したそうですね」聡は声を掛けた。

天を仰いだ。「あぁ……運悪く、本橋さんの部屋の前を通っちゃってさ。社員なんだから読めって
無理矢理コピー渡されちゃったよ」

「不明な点はなかったでしょうか？」

「えっと、ない」コーヒーのボタンを押した。「国道をもう少し行った先に、公園あるでしょ」

「公園？」

「そう。そこで暮らしてるの」振り返って男を顎で指した。「部長さんとシロは」

「ホームレスなんですか？」

「そう。昔はさ、大企業の部長さんだったんだって。それで皆部長さんって呼んでんだ。いいときは、
旨いモンばっかり食ってたってさ。これも」小指を立てた。「相当楽しんでたらしいのよ。でも突然
会社が倒産しちゃって。人生ってわかんないよね。部長さん、グルメなんだよ。昔景気の良かった頃、
舌に贅沢《ぜいたく》をさせちゃったんだって。今は口に合わないものを食べなきゃいけないから辛いってさ」

「そうですか。それで、渡辺さんはあのマニュアルにご賛同いただけるんですね」

素早い動きで聡に顔を向けた。「賛同？」

「はい。特別問題がなかったんですよね」

「そう、だな」

「だったらご賛同いただけると理解してよろしいんですよね」

「えっと、よろしいです」

「そうですか」当然だ。完璧なんだから。

「あのさ」

「はい」

「あれ、作るのどれくらい時間かかったの？」

「トータルで十時間ぐらいですね」

「へぇ。結構早くできるもんなんだな。俺じゃ一年かかってもできないだろうけど」

「ああいったものは慣れですよ。何度か書いているうちに、項目をどういう順番で書いていけばいいのかがわかってきます」

「あっ、そう。県庁さんの言う通りやってれば売上がぐぐんと上がって、リストラもなしってことだ」思い出したようにプルトップを開け、缶を傾けた。

高橋稔《たかはしみのる》がくわえタバコで現れた。一瞬足を止め、すぐに自動販売機の前に進んだ。

鮮魚主任の高橋は五十代前半で独身だ。スーパーの裏手にあるアパートに住んでおり、毎日制服姿で出勤し、退勤する。長く下がった眉毛には白髪が混じっている。上の左右の犬歯二本が金歯だった。

聡は声を掛けた。「高橋さん、衛生管理マニュアル、読んでいただけましたか？」

じろっと聡を見たが、すぐに視線を戻した。

「高橋さん、あの――」

「今は無理」渡辺が言った。

聡は渡辺の言葉を待った。

「左の耳、見てみ」

ん？　高橋の左の耳に目を向けた。イヤホン――ん？

「今高橋さんは勝負してるところだから、話しかけないほうがいい」

「勝負って？」

「お馬ちゃん」

「競馬……ですか？」

「そう。働いた金のほとんどを馬につぎ込んでんの、高橋さんは」

勤務時間中に？　休日に競馬をするなら一向に構わない。しかし今は労働中――だよな。

「マニュアルって、紙だろ」高橋が大声で言った。「字がたくさん書いてあったやつだろ。見たよ」

「いかがでしたか？」

「なにが？」

声がでかい。

「ご意見、ご感想です」

「ん？　そんなもの、よくわかんないよ」

「どういった点――」

「よしっ。行け。まくれ。行けっ」右の拳を左手で包み、上下に揺すった。「頼むよぉ」

ろくでなしが集まる吹きだまりか、ここは。

県庁の星

Chapter

2

1

七月になっても店はまったく変わらなかった。

「失礼します」浅野卓夫《あさのたくお》の背中に声を掛けた。

「どうしたんです、県庁さん」白い歯を見せた。

三十五歳の浅野は一階食料品売場のフロア長だ。まぶたが小さな目を押し潰《つぶ》すように覆っている。肉厚の顔全体にニキビ跡の穴がある。一メートル七十五センチほどの身長で、胸板が厚く、学生時代にはラグビーをしていたという。

浅野の下に肉、魚、野菜、その他を担当する責任者がいる。

加工室の裏には一メートル二十センチ程度の幅の通路が伸びており、壁に向かって、小さな机が点々と五つ置かれている。その一つで浅野は作業着姿のまま電卓を叩《たた》いていた。机上《きじょう》のファイルボックスの横には、浅野と一回り年下の妻が揃《そろ》いの浴衣《ゆかた》姿でピースしている写真が貼られていた。

浅野の指にはタバコが挟まれていた。これだよ。マニュアル渡したって、管理者がこれじゃ、下の者がやるわけないよ。

「惣菜《そうざい》調理室に回ってくる食材のことなんです」

「はい」

「消費期限の過ぎたものばかりです」

「ええ」

「それは正しいことではありません」

楽しそうに顔を崩した。「ま、ここどうぞ」隣に折り畳み椅子を広げた。「そこ立ってると、台車運ぶとき邪魔になるから」

「失礼します」

「どうです？」タバコを勧めた。

「いえ、結構です。それにここで吸うことにも問題を感じます。食品を扱う場所ですから。先日配布したマニュアルにも、衛生管理について私見を述べさせていただいています。ご覧いただけましたでしょうか」

「あぁ、あれね」首を掻《か》いた。

「作業場は禁煙にするべきです。どこか場所を作って、そこでのみの喫煙にしたほうがいいでしょう。ついでに申し上げると、加工途中の食材が足元に無造作に置かれていることも度々目にします。なにをどこに置くのかといった約束事を全員に周知し、徹底すればこういった問題は解決します。また消毒や洗浄も個人の判断で行われているため、ばらつきがあります。これも僕が作ったマニュアルに従っていけば解決します」上半身を乗り出した。「それからさきほどの惣菜調理室に回ってくる食材の件ですが、消費期限の過ぎたものを加工するのは問題です。情報を提示して納得のうえで買っていただくか、消費期限内のものを使って惣菜を作るべきです。いくら火を通すとはいってもです。万一食中毒が出たらたいへんなことです。もう夏ですし、危険性はますます高くなります。僕がここにいる限り、このような不正に目を瞑《つむ》ることはできません。至急、改善願います。このことは意見書として本橋さんにも提出してあります。しかし三週間経《た》っても読んでいただけていません。お忙しいそうです。それで浅野さんに改めてお話しさせていただいています。表示をごまかしたばかりに倒産に追い込まれた企業もありますからね。そうなってからでは遅いでしょう」

「なるほど」ペットボトルのなかにタバコを捨てた。「仰《おっしゃ》る通りですな」

感心したように何度も頷《うなず》いている。

ほっとした。ようやく自分の話を理解できる人間に出会えた。

「まずですね」浅野が人差し指をピンと立てた。「いただいた書類にあった改善案の売上目標の数字は、現実的じゃありませんでしたね」

「そう……ですか？　現在の惣菜売場の数字を元にしましたが」

「先週五百円で十個売れたからといって、今週千円にしたら五個売れると考えてはダメなんです。そこが商売のおもしろいところでしてね」眉を少し上げた。「それにコスト削減の意識を強くもたないとね。これは商売の基本です」

眉をひそめた。「念のために申し上げますが、コスト計算の元にしたのは五月の数字ですよ」

「そのようですね」

「その数字より下げたものを提示してもよろしいんですか？」

「よろしいですよ。工夫でコストが下がるなら、こんなに嬉しいことはありません。なんでです？」

「いえ、別に」

民間では従来のコストより低い数字を出しても許されるのか？　浅野の本心なのか？　公務では前回より低いコストで押さえると、前任者の顔を潰すことになるので、タブーになっているのだが。

「県庁さん」身体を真っ直《す》ぐ聡に向けて、両膝《ひざ》を揃えた。「私たちをなんとか導いていただけませんか？」

「どういうことです？」

「お話はよくわかりました。マニュアルも拝見しました。ですが、なにぶん私たちにはちょっと難しすぎまして手を付けられずにいました。今後は具体的な指示をいただけると助かるんです」

「なるほど」

「まず惣菜加工用の食材についてですが、原価計算していただけませんか。現状と、食材を変えたときと較《くら》べてみたいんです。必要なデータはいくらでもお出ししますんで」

「了解しました。やりましょう」

「ありがとうございます」浅野が頭を下げた。


「今日はケンチョウさん、いいことありましたね」金が言った。

惣菜調理室の冷蔵庫を閉じた。「僕ですか？」

「そう。ケンチョウさん、なんだか楽しそうですね」

台帳にメモを取った。「楽しくないですよ。ただ、僕の提案がようやく受け入れられましたのでね。やっと一歩を踏み出せたと。それだけですよ」ピーラーを動かす金の手元を見た。「金さんこそなにかいいことあったんじゃないですか？　いつもより歌声が大きいから」

「私？　ないですよ。株で損しましたね。反省してますね。直感が大事なのに迷いましたね」

「へぇ」

「私じゃない人も元気ないですよ。店長辞めるし、リストラの噂あるし。皆自分のこと心配してます」

「僕がここにいる間に良くなっていきますよ、この店は」

ルブカが奇声を上げた。

携帯に向かって興奮気味に喋《しゃべ》っているルブカを見ながら、金が言った。「ルブカさんは個展の準備をしてるんです」

「個展？」

「とっても素敵な写真を撮るんですよ」

「へぇ」

ルブカが耳から携帯を離して、聡に向かって親指を立てた。「便所ムシ、ゲジゲジ、むかで、好きですね」

陳はルブカへちらっと視線を向けた後、すぐにイカの天麩羅《てんぷら》を揚げはじめた。

金が陳の手元を見ながら言った。「陳さんはなんでも上手です。天麩羅もきんぴらも。厚焼き玉子は、私上手《うま》くないので、陳さん担当。陳さん休みの日、厚焼き玉子ありません」にっと笑った。

陳が箸《はし》で一つずつイカをひっくり返した。

聡が惣菜売場に来て一か月になるが、まだ陳の声を聞いたことがない。日本語がわからないのか、聡を嫌ってるのか、どっちなのだろう。


次の日の四時頃、食べそびれた昼食を摂《と》っていると、声が聞こえた。

「けぇんちょ～さ～ん」

顔を上げると、渡辺がへらへら笑っていた。

「胸のでっかい女の子が、県庁さんいますかってさ」

社食のテーブルに広げていた書類をカバンに仕舞《しま》い、席を立った。

「三階の寝具売場」

「そうですか」

歩きはじめて、すぐに振り返った。「なんです？」

「いや、別に」肩を竦《すく》めた。

渡辺に冷たい一瞥《いちべつ》をくれて三階に向かった。

あいがパジャマ売場の前にいた。

「どうした？」

あいが振り返った。「仕事中にごめんね。近くまで来たから、のむのむが働いているところ、こっそり見ちゃおって思ったの。そしたらのむのむがいなくって」淋《さび》しそうにうな垂れた。「男の人が声を掛けてきたから」上目遣いで聡を窺《うかが》った。「野村さんいますかって言っちゃった」

あいはピンクのキャミソールにジーンズ、ゴールドのサンダルを履いていた。この年の子がするには普通の格好かもしれないが、職場を訪問するには不適切だ。よりによって渡辺に見られてしまうとはついてない。

あいには惣菜売場で働いていることは話していなかったので、三階をうろついたのだろう。白い作業着姿を見られずに済んで良かったと、心の底から思った。

「突然来ちゃったこと、怒ってる？」

「いや、怒ってないよ」

「良かった。ここね、ママに言われて見て来たの」パンフレットを差し出した。「そこの帰りなんだ」

介護老人ホームのパンフレットだった。

あいには六十八歳になる祖母がいた。祖母の面倒は、あいの母親が見ていたが、最近はちょっとたいへんになってきたという。二つ違いの姉と母親とあいの三人は、手分けをしてホームを探していた。あいたち家族は休日の度にホーム巡りをするので、最近はデートもままならなかった。

「どうだったの？」聡が尋ねた。

「入所金が安いからいいかなって思ったんだけど、ちょっと遠いんだよね。できれば近くにいて欲しいからね。ママにメールして聞いたらね、やっぱり近いほうがいいって」

「そっか。今日は？」

「ん？」

「バイト休みなんだろ」

「うん。これからお姉ちゃんと待ち合わせして、もう一つ見に行くの」

「そうなんだ」

「うん。顔見れて良かった」

「あぁ」

「じゃ。またメールするね」

「あぁ」

あいが手を振って、エスカレーターを降りて行く。胸の谷間がはっきり見える。暑くても一枚羽織るよう、今度言うようにしよう。

「もう帰っちゃったの？」

振り返ると、すぐ後ろに渡辺の顔があった。

「なんですか。もしかしてずっと見てました？」

顔の前で掌《てのひら》を左右に振った。「見てない、見てない。二十二か、三ぐらい？」

「二十三です」

「当たりか」非常扉に右手を当てた。「県庁さん、ああいうのがタイプだったんだ」下卑《げび》た笑いを浮かべた。

2

元亭主、柴山功《しばやまいさお》から電話を貰《もら》ったのは六月に入ってすぐだった。しかし休みがなかなか取れないと嘘をついて、一か月以上待たせてやった。焦《じ》らしたうえで、泰子はY駅前のデパート最上階にある、高級中華料理店を指定した。あいつの奢《おご》りのときぐらい、いいものを食べなきゃ損だ。

　八階フロアの中央に置かれた白いベンチに、中年男を発見した。オヤジ街道驀進《ばくしん》中の四十三歳。また太ったんじゃないか、こいつ。元亭主は市内に工場のあるスポーツ用品メーカーで営業をしている。まず、お前が運動しろ。そんな水ぶくれの身体じゃ、説得力がないっつうの。ホームベース型の顔の中央に目と鼻と口が寄せ集まっており、額は前にぽっこり膨《ふく》らんでいる。こんな顔の犬がいたな。

ぎこちなく近づいた。「お待たせ」

「あぁ。ここ？」店を指差した。

「そう」

「じゃ」

功が先を歩く。俺様行動は健在だった。同行者を気遣う素振りをまったく見せず、チャイナドレスの女の後を早足で歩く。どうしてこの男を好きになったのだろう。いまだにわからない。

メニューを開いた。高いものを頼んでやる。

功がメニューを閉じた。まだ決まらないのかと無言のプレッシャーをかけてくる。わざとゆっくりページを捲《めく》った。

功がコップの水を飲んだ。苛立《いらだ》っているのだろう。あんたのペースに合わせてなんかやらない。

優雅な手付きで泰子はメニューを閉じた。

「決まったのか？」

「ええ」

「すみません」チャイナドレスの女に声を掛けた。

店員が来ると、功が言った。「Aランチ、一つと……君は？」

女を見上げて言った。「海鮮チャーハンと青菜と筍《たけのこ》の炒めものと、揚げ団子をください」

呆《あき》れた顔で功が泰子を見た。

なんか文句あんのか。睨《にら》み返してやった。

功が再び水を飲んだ。

「用事ってなに？」泰子が尋ねた。

「あぁ。実は――八月から転勤することになったんだ。中国だ」

「中国？　そう」

「いつ帰って来るかはわからない。もしかしたら定年まで向こうかもしれないんだ」

「へぇ」

「それまで会社があればの話だけど」歯を見せた。

「本当ね」

「それで」グラスを握った。「一緒に連れて行こうと思ってる女性がいる」

「そう」

功が咳払《せきばら》いを一つして、水を飲んだ。

「問題は学のことだ」

「学？　なんで？」

「学とはしばらく会えなくなる」

「そうね」

「心配でね」

「学が？」

「そうだよ」声を尖《とが》らせた。

「あの子、もう二十歳なのよ。離婚した父親が再婚したって、中国行ったって構わないでしょう？」

「本気でそう思ってるのか？」

この男、なにが言いたいんだ。「あなたと冗談言い合う仲じゃないんだけど」

「いいか」人差し指を泰子に向けた。「あの子は繊細な心の持ち主なんだ。二十歳っていうがね、まだ二十歳なんだよ。あの子は今、仕事で大きな壁にぶつかっている。そんなときに俺が再婚して日本を離れるなんて言ってみろ。学は混乱してしまうよ」

こいつと離婚してほんとに良かった。「びっくりはするでしょうよ。でも小学生じゃあるまいし、混乱なんてしないわよ」

「君は」眼鏡を外してテーブルに置いた。「君はまったく変わってないんだね。君みたいにさっくりさっくり気持ちを切り替えられる人間ばかりじゃないんだぞ。あの子は優しい子なんだよ。だから君に淋しい顔を見せたり、泣き言を言わないだろう。だからってそれがあの子のすべてじゃない。表面に見えているものだけが真実じゃない。君は同じ家に暮らしているんだぞ。もっとあの子の心のなかを見てやらないでどうするんだ。俺からあの子を奪ったんだぞ」

「なに言ってんの」怒りで声が低くなった。「離婚したのはお互いのせいよ。私のせいだけじゃない。あなたのせいだけでもない。二人のせい。それをまるで私のせいだけのように──」

「君は──」

「まだ話してる途中よ。あなたにはあの子の心のなかがわかるっていうの？　どうしてよ？　なんでそんなことが言えるのよ」

「メールや電話でよく話すんだ。あの子は傷ついている」

よく話す？　そんな話、聞いてない。頻繁《ひんぱん》に連絡を取り合っていたってこと？

泰子はわざと大きくため息をついた。「離れて暮らしているからそう思うのよ。点でしか接してないからよ。面で接してたらね、あの子のずる賢いところや、ぐうたらなところもわかるわよ。あの子は正義漢ぶってるだけなんだから。老人を手伝っている自分は正しくて、素晴らしいと思ってる。あんな調子じゃあ壁にもぶつかるでしょうよ。ぶつかったっていいのよ。困難にぶつかってはじめて見えるものだってあるんだから」

「それは君の対処法だ」

Aランチと海鮮チャーハン、青菜と筍の炒めものが来た。白いテーブルクロスが皿で埋まった。

泰子の腹が鳴った。

レンゲでチャーハンをすくった。美味しい。腹が立っていても味覚は麻痺《まひ》しないんだ。

功はAランチが乗るプレートをじっと見ている。

泰子は炒めものを自分のぶんだけ小皿によそった。

「君は強い」

小松菜がきちんと美味しい。筍も礼儀正しくシャキシャキしていて、口のなかを楽しませてくれる。

「君はどんなものも乗り越えられる。だけどほかの人はそうじゃない。学は――不安定な子だ。ちょっとのことで動揺してしまう。細い糸の上を歩いているようなもんだ。真っ直ぐ歩くことだって難しい。君はあの子が今、職場で難しい立場にいることを知っているのか？」

「なにそれ？」

「こんなときによくそんなに食えるな」

「レストランに来て、食べるなって言うの？」

大きく息を吐いた。「そんなことは言ってない」

「今言ったじゃない」

「いいか、あの子の話だ。あの子はとても熱心に仕事をしてたんだ。一生懸命年寄りの世話をしていた。ところがサービスのし過ぎだと言われてしまった。ホームヘルパーにはやっていいことと、いけないことの境界線がある。それを逸脱していたんだ。担当が替わると、前の人はやってくれたのにと年寄りから不満が出る。それで注意をされたんだ。決められたことだけをやるようにって。だけど年寄りを手伝いたい気持ちがあるわけだから、それは難しいんだよ。やってあげたいと思っても、会社からはするなと言われる。あの子は板挟みだ。結局あの子はやってしまう。そして吊るし上げをくう。この繰り返しになってるんだ。聞いてるのか？」

なんだってそういう話を自分にではなく、こいつにするんだ。それ自体が間違ってる。

「食べてたって耳は開いてるんだから、聞こえてます。それで？」

「それでって——俺は相談に乗っていた。そんなときに転勤することになって、俺は心配しているんだ。来週学と会って転勤のことを話そうと思っている。その前に君に話しておきたいと思った。学の様子を見ていて欲しいからだ」

「了解」

功は両方の掌で顔を何度もこすった。「本当にわかってるのか？」

「わかったわよ。何度も同じこと言わないでね。一度聞けばわかります」

「君はいつも自分だったらと考える。それはやめてくれ。もし学だったらと考えるようにしてくれ」

「わかったわよ。食べないの？　冷めちゃうわよ」

不満そうな表情で箸を取った。

「私の心配より、そっちはちゃんとできるわけ？」

「なに？」

「学に再婚するって伝えるわけでしょ。上手く言えるの？　あの子だったらと考えたら、どんな言い方になるわけ？」

「誠実に話すつもりだ。それに俺たちには信頼関係ができているからね。理解してもらえると思う」

「そうかな？」

「なんで？」

「あの子、女性とちゃんと付き合ったことないのよ。モテないんだ、ああいうの、今時は。それがいきなり父親の再婚話なんて聞かされて、それこそ混乱するんじゃないの？　免疫ないんだから」

顔から一切の表情が消えた。「ご心配なく」

3

浅野から懇願されてから十日後に、数字が出揃った。期限内の食材を使用すると、一番人気の三百八十円の弁当は八百五十円になった。

二宮に呼ばれて二階の特設会場に行った。力仕事になると各売場の男たちが駆り出される。誰であろうとお構いなしだ。

「こういうふうに設置したいのね」二宮が配置図を配った。「ここに書いてある番号は、マネキンやワゴンについているこの札と合わせて。この配置図に書かれた場所にそれぞれ置いてね。よろしく」

陳とコンビを組み、水着姿の親子四人のマネキンを運んだ。四十平米のコーナーは、約三十分で常夏気分でいっぱいになった。

二宮が点検し、満足げに頷いた。「ありがとうございました。配置はこれでオッケーです」

聡は床に落ちたスイカ柄のビーチボールをワゴンに乗せながら二宮に言った。「浅野さんから依頼されていた数字がようやく出たんですよ」

「なに？」

「食材の変更を浅野さんに提案したら、原価計算をしてほしいと頼まれまして」

「浅野さんに話したんだ」

「えぇ」頷いた。「とても熱心に話を聞いてくださって、その通りだなって。反省しなくちゃとも仰ってました」

「見掛けに騙《だま》されないようにね」

「えっ？」

「あの人、爽《さわ》やかな悪魔って言われてるのよ。あの人の笑顔って凄《すご》いでしょ。顔をくしゃくしゃにして、目なんか弓なりになって消えちゃって。でもあの人懐《ひとなつ》っこそうな笑顔がくせものなのよ。浅野さんに較べたら、どっから見ても悪役の本橋さんなんか、わかりやすくてかわいいもんなんだから」

二宮は人物評価も偏《かたよ》っているようだ。

浅野は聡に頭を下げ、教えを請いたいと言った。学ぼうとする意欲があるのは大事だ。フロア長である浅野が変革を受け入れれば、おのずと下は従うだろう。

浅野の身体が空いたのは、午後五時をまわってからだった。

社食のテーブルを挟んでの聡の解説が終わると、浅野は腕を組み、天を仰いだ。

「難しいですな」浅野は作業着の上から腕を掻いた。

「なにが難しいのですか？」

「この計算でいくと」書類をなぞった。「三百八十円の弁当が八百五十円になるんですよね」

「そうです」

「うちの店、倒産しちゃいますよ」

「どうしてです？」

「売れないってことです。惣菜はうちの一番人気の売場です。売上の七割が一階の食料品です。そのうち三割を惣菜コーナーで稼いでいるんです。それがゼロになったら、半年と保《も》ちませんよ」

「しかしですね」

浅野が右手を挙げた。「今解決策を考えてみます。ちょっと待っててください」腕を組み、目を瞑った。

聡は天井を見上げた。二人がいるテーブルの上部のライトだけがついている。

「チーム分けしましょう」浅野が突然言った。

「は？」

「惣菜を二つのチームに分けます。一つは従来の食材で、従来の弁当と惣菜を作るチーム。もう一つは、県庁さんにリーダーになっていただいて、ちゃんとした食材で弁当と惣菜を作っていただきます。そしてそれにブランドをつけましょう。お客さんに値段が違う理由がわかるように。パッケージも変えて」

「それが解決策なんですか？」

「はい」とびっきりの笑顔を見せた。「三百八十円の弁当をやめるわけにはいきません。お客さんがついていますからね。いきなり三百八十円の弁当がなくなって、八百五十円になったらお客さんは納得しません。今までのは何だったんだってことになります。信頼をなくしてしまいます。うちの店のお客さんには庶民もいます。ま、ほとんどがこっちです。でも病院や大学が近いですからね、医者や先生や、所得の高い人もいるんですよ。こっちのお客さん向けに、食の高級ブランドを提案するんです。そっちの商品開発、製作、販売を全部県庁さんにお願いします。調理室も二つに分けましょう。出入り口も分けちゃってください。そうするとですよ、県庁さんは不正をしている調理室には出入りしないから、責任問題にもならない。県庁さんとは違うチームがしていることなんですから。どうです？　高級ブランドの開発、ぜひお願いしますよ。うちらだけじゃ絶対できないことなんですから。我々を助けてくださいよ」

「それは……本当に責任はこっちにかからないですか？」

「かかりませんよ。だって私がですよ、二階で売ってる生理用ナプキンの不始末を責められたりはしないでしょ」

首を捻《ひね》った。

「チームで数字を競い合っていただきます」

「競い合う？」

「はい」

「どうして?」

「民間にはですね、県庁さん。売上目標って数字があるんですよ。ほら、できの悪い子どもに、今度六十点取ったらゲームソフト買ってやるぞって言うと、ひっちゃきになるでしょ。目標の数字って大事なんですね。頑張らせるニンジンのようなもんです」

「なるほど」

「県庁さん率いるBチームメンバーの人選は、お任せいただきたいんですが」

「B?」

「いえ、Aです。県庁さんはAチームです。Aチームの人選は私に一任ください。一つ、どうかご指導ください」

「……わかりました」

4

功が繰り返したので、十日間にわたり学を注意深く見守った。特別変わった様子はない。相変わらず家のことはまったくせず、食事のときだけ顔を見せる。職場でのことも、功と話したことも口にしない。報告するまでもないのか。突っかかってもこないので、担当の老人が死んでもいないのだろう。つまみをテーブルに並べ、阪神戦を見る。三点リードしていた。滅多にない至福の時間。このまま逃げ切ってくれ。

右方向にあるダイニングテーブルで食事をしていた学がなにかを言った。

画面を見たまま大声で答えた。「なに？　今なんか言った？」

返事がないのでそのままテレビを見た。ＣＭになったところで首を捻った。わっ。すぐ後ろに学が立っていた。

「なに？　さっきは聞こえなかった。なんて言ったの？」

痛そうな顔をした。「母さんにとっては阪神より興味ないことだとは思うけど、僕今の職場を辞めるつもり」

「えっ？　辞めるの？　なんで？」慌てて聞いた。

「どうせ母さんに言ってもわかってもらえない。とにかくそういうことだから」背中を向けた。

「ちょっと待ちなさいよ。辞めてどうするの？」

「わからない。ボランティア団体を立ち上げるかもしれないし、ほかの職場を探すかもしれない。まだ決めてない」

あ？「ボランティア団体を立ち上げる？」

「そう。年金暮らしのお年寄りから金を取るの、どうかと思うから」

出た。自己陶酔の理想主義野郎。「タダで介護してやるってこと？」

「そういう言い方やめてよ」

甘いこと言っちゃって。「どういう言い方ならいいのよ。同じことでしょ」

「違うよ。母さんはいつもそうだ。お年寄りを馬鹿にしてる」

「あんたね、ちょっとそこに座んなさいよ。お母さんがいつ老人を馬鹿にしたって？　馬鹿になんかしたことないわよ。すぐだもの、お母さんだって。あっという間に老人だわよ。だいたいボランティアなんてね、できる環境なの？　ちょっとの食費払って大きな顔して暮らしてる、あんたみたいに自立してない人が言えるセリフじゃないでしょう。そういうのはね、自分の力で生活している人が高い志で言うもんなのよ」

「なにもわかってない」

「わかって欲しいんだったらきちんと話しなさい。弱い人の世話をしている自分が好きなだけなんじゃないの？」

みるみる目を大きくさせた。

「感謝されて、頼りにされて、そういうのを経験したことがないから、弱者に親切にして優越感に浸ってるんじゃないの？」

学は口を開きかけたがすぐに閉じ、リビングを出て行った。

部屋のドアを乱暴に閉める音が聞こえた。

やっちゃった。功に注意されていたのに。ちょっと言い過ぎたかな。こんなだから自分には話してくれないのか。今頃自室で功にメールで告げ口しているのかも。でも、二十歳にもなってやってることはまるで子どもだ。わかってくれないと言ってはすぐに膨れる。ボランティア団体を立ち上げる？　簡単に言っちゃって。人と意見を衝突させながら道を開いていくもんなのに、嫌なことがあるとすぐに自分でやると言い出す。どうせできっこないのに。

テレビに目を向けた。昔は一緒に阪神を応援したのに。縞柄《しまがら》のパジャマで自分にしがみ付いて眠ったことなんて忘れてるんだろうな。グリーンのカーテンに目を向けた。なんでこんなに淋しいんだろう。ビールをあおった。

＊

翌日の昼休憩を取れたのは、午後三時を過ぎてからだった。

社員食堂で熱心に本を読んでいる野村に、なにを読んでいるのかと声を掛けた。すると頬《ほお》を紅潮させ、浅野と進めているプロジェクトについてとうとうと語りはじめた。

あの浅野がね。悪魔も役人には敵《かな》わなかったってことか。ま、悪いことじゃないからいいけど。

「図書館から全国駅弁図鑑を借りてきまして、メニューのヒントがないかと見ていたんです」嬉しそうに本を滑らせた。

あらあら、随分と幸せそうだこと。受け取った本をパラパラと捲ってみる。デパートの駅弁フェアで買ったことのある弁当を見付けた。

本を返した。「たいへんそうね」

「まぁ。でもせっかくの機会ですからね。商品開発の勉強ははじめてなんで、結構楽しんでますよ。高級ブランドの象徴的な弁当を作りたいんですよね。有名企業の創業者たちの自伝も大量に買いました」

「えっ？　創業者の自伝とお弁当とどういう関係があるの？」

「発想の仕方ですよ。わかります？　偉業を成し遂げた人たちの着想方法を学ぶんです」

そうですか。なんでもかんでも難しく考えることで。でも……もしかしてこの男が本当にこの店を変えたりして？

「そういうの、いつやってるの？」

「はい？」

「勤務時間外にやってるんじゃないの？」

「まぁ。でも独身ですし、大丈夫です。ちょっとおもしろく感じてるくらいなんですよね。やっぱりこういう仕事は僕っぽいですし」

「そう。張り切り過ぎないでね。身体が一番大事よ」

「ありがとうございます」

やだな。どうして息子には言えない言葉を、こいつには言えるんだろう。まるでいい人っぽいじゃない、今のセリフ。

「清水さんが辞められた後のことは決まりましたか？」野村が尋ねた。

「まだはっきりしないみたい。とりあえず三か月間は、本橋さんが店長代理としてやっていくらしいけど。その後は本部か、ほかの店から店長が送り込まれてくるんじゃないかな」

「本橋さんが店長に昇格することはないんですか？」

「ん〜、その可能性もゼロではないみたいね。三か月間の成績次第なんじゃないかな」

「浅野さんが異動になる可能性もあるんでしょうか？」

「ん？　浅野さんは現地採用だからね。ずっとこの店だと思うわ」

ほっとしたように肩の力を抜いた。「そうですか」

5

浅野の提案から十日後、調理室は二分された。左右が十メートルあるガラスのちょうど半分の位置に、厚さ五センチの仕切り板が設置された。店の入口に近い側がAチームに与えられた。出入り口も分けられているため、それぞれが独立した空間になった。Aチームのリーダーは聡。以下陳とルブカと金の国際的なメンバーになった。浅野に文句を言ったが、Aチームには聡がいるので、平等にするためにはハンディを背負ってもらうと言われた。Bチームは四十代の女性ばかり四人だ。聡には未だにそれぞれの区別がつかないほど、似ている四人だ。リーダーの所優子《ところゆうこ》をはじめ、全員が樽《たる》のように丸い身体をして、身長は一メートル五十センチ以下だ。勝手にミニモニと名乗っている。

報奨金が出ることになったため、Bチームはやる気を出しているらしい。所がわざわざやってきて、握手を求めてきた。赤いヘアクリップで短い前髪を留めていた。

ちょろい。こんなおばちゃんたちのチームに負けるわけがない。笑顔で手を握り返した。

作業台の周りにAチームの皆を集めた。

「八月一日からAチームでの惣菜と弁当作りがはじまります。十日後ですね。Aチームは正規の食材を使います。消費期限内のものです。従来のものとは価格が違いますので、お客さんにわかりやすいよう、パッケージもBチームとは違う、高級感のあるものにします。惣菜メニューは十種類です。これは今後どんどん増やしていきたいと思います。Bチームは我々よりメニュー数は多いですが、報奨金がかかっている競争の対象は十種類で同じです。売上金額ではなく、粗利《あらり》金額で争います。毎日の商品別粗利合計金額の上位十位までを足します。一か月の合計金額が高かったほうが勝ちです。ちょっと難しい、ですかね。とにかく、僕の指示通りに作って売れば、勝ちますから。Ａチームでは目玉となる弁当を大々的に売っていきたいと思います。これが作り方です」紙を配った。「それからシフトも新しいものになります。それがこれです。変更したい人は僕に言ってください。わからないことがあったら、いつでも僕に聞いてください。社食にいますんで」

金が言った。「社食？」

「ええ。僕の部屋は与えられていませんので、仕方ありません。社食のテーブルを使って仕事をさせてもらいます。陳さんは、なにかありますか？」

じろっと聡を見つめ返してきた。

「なんです？　なんでも言ってください」

「このレシピはどこから？」

「料理本やネットです」

陳が不機嫌そうな顔で腕を組んだ。

新しいことに臨むのを面倒がる人もいるからな。せいぜいはっぱを掛けてやらせなくては。デブモニには一度たりとも負けられない。

「それでは練習をしてみましょう。陳さんは、まずどれからいきますか？」

聡のレシピをもとに、金が他の二人に指示を出しながら調理を進めた。すべての料理が完成したのは三時間後だった。

聡は完成した惣菜と弁当を容器に入れ、作業台の端に置いた計量器に乗せた。原価計算したときのノートと照らし合わせる。完璧だ。すべての計算に狂いはない。

「ご苦労様でした。それではちょうど昼ですし、試食会としましょう」

金が皿と箸を各自の前に置いた。

「さ、座ってください。食べてみましょうよ」聡がアボカドサラダに箸をつけた。「うん、美味しい。さ、皆さんも食べてください」

金がお握りを頬張った。

ルブカが鶏の唐揚げを口に入れた。

陳は弁当をじっと見つめている。

聡は五穀米弁当の蓋《ふた》を開けてみた。これがAチームの看板メニューとなる。国産大豆で作られた特選醬油《しょうゆ》で味付けした神戸牛のブロックステーキが、七十グラムも入っている。枝豆入りサラダとカットフルーツを彩り良く並べた。白米にせず、玄米、麦、もちきび、緑豆、黒米の五種類をブレンドした。価格は千円。Bチームの三百八十円の弁当には販売数では負けるだろう。しかし粗利金額で競争することになっている。だからこっちが勝てるのだ。

「陳さんも食べてみてください」聡は明るく声を掛けた。「結構いけてますよ」

惣菜競争の初日、出勤するとすぐ惣菜売場に向かい、ケースを眺めた。すでにほとんどの品がケースに並んでいる。Aチームの品は右のケースに、Bチームのは左のケース。顔を上げて、ガラス越しに調理室を覗《のぞ》いた。中央のベニヤ板で真っ二つに分けられているのがわかる。Aチームのメンバーは皆忙しそうに立ち働いている。視線を左に移した。デブモニが円陣を組み、手を重ねている。うわっ。ファイト、オーって？　よしてくれよ。中学生じゃあるまいし。

所と目が合った。

所が調理室から出てきた。「おはようございます」

「おはようございます」

「いよいよですね」

「はい」

「頑張りますよ、Bチーム」

「気合入ってますね」

「ええ。お揃いのバンダナ買ったんですよ」

「えっ？」

「ママさんパワーで頑張ります」右腕を曲げて、力こぶを作って見せた。

「はぁ」

「それじゃ」勢い良く身体を回した。

驚いた。本当に単細胞のヤツらっているんだな。ニンジンを前にぶら下げれば、がむしゃらに働く。その通りだ。浅野の言っていたことは正しかった。報奨金といったって、勝利チームに二万円が出るだけだ。一人当たり五千円にしかならない。そのために揃いのバンダナを締めて円陣か。こういう人種がいることを知っただけでも、この店に来たかいがあったかもしれない。

Aチームの調理室に入った。「おはようございます」

「おはようございます」金が言った。

「いよいよ今日からです。Bチームは相当気合入ってるみたいです。ま、勝負はすでに決まっていますがね。こっちはマイペースでいきましょう」

返事はなかった。

＊

フローリングの床に尻をつけ、ベッドサイド部分に寄りかかり、キッチンに立つあいの姿を眺めた。久し振りにあいが聡のアパートにやって来た。手料理を作ってくれるという。白いミニスカートから伸びた素足はまっすぐだ。

午前中にハンドクリーナーで床をざっと掃除した。一か月ぶりの掃除は五分で終了した。

あいが聡の正面に、斜め座りした。

「できたの？」

「まだ。シチューだから、もっと煮なきゃいけないの」

「シチューなんて凄《すご》いじゃない」

「ママに習ったの」顎《あご》を少し上げた。「もうちょっと待っててね」

「あぁ」

「のむのむ、切手もってる？」

「切手？」

「そう。おじいちゃんに手紙出したいの」

左腕を伸ばして棚からクリアファイルを取り出し、切手を渡した。

あいが薄いピンク色の封筒に切手を貼り、バッグに仕舞った。すぐに立ち上がると、ガス台に近づき、鍋の蓋を開けた。

聡はあいのヒップラインが良く見えるよう身体を右にずらした。

あいはお玉で何度か鍋を掻き回した後、元の場所に座った。「うるうるね、おじいちゃんに手紙書いたの」

「おじいちゃん？」

「この間見学に行ったホームで仲良しになったの」掌で前髪を左に撫《な》で付けた。「おじいちゃんね、うるうるのお尻触ったんだよ」

「は？」

「触ってね、いいねぇ、若い子の尻はポンポンしてるって言ったの。おかしいでしょ。ポンポンだって。うるうる笑っちゃった」

「ジジイの癖に」

「でね、お手紙書くって約束したの」

「エロジジイになに書いたの？」

「元気ですか、とか。うるうるのおばあちゃんがそこに入ったら、仲良くしてくださいねとか」

「そこに決めたの？」

「ん～、凄くいいのね、近いし。ママもお姉ちゃんも気に入ってるし。おばあちゃんも一回連れて行ったとき、喜んでるみたいに見えたし」人差し指を自身の頬に当てた。「でも……」

「でも、なに？」

「入所金が高いの。予定してた金額よりだいぶ。それでちょっと困ったねって」

「そうなんだ」

あいは再び立ち上がり、鍋のなかを覗いた。火を止め、スープ皿によそった。

あいの背中に尋ねた。「いくらぐらい足りないの？」

振り向いた。「たくさん」あいがゆっくり皿を運び、そっとテーブルに乗せた。「はい、どうぞ」

「これはなに？」聡が尋ねた。

ブラウンのクッションを胸に抱えた。「クリームシチューだよ」

「白いシチューの上に、赤いソースが掛かってるよね」

「ソースじゃない。イチゴジャム」

＊

おかしい。こんなはずはない。

社食のテーブルで売上明細表を広げ、呟《つぶや》いた。一週間のAチームの粗利金額はBチームの半分もいっていない。くそっ。デブモニに負けるなんて。残り三週間で挽回しなければ。食材が違うことをもっとアピールする必要がある。それに五穀米弁当が一つも売れていない。売れない原因は――タイミングかもしれない。予定通りの順番で調理しているかチェックする必要があるな。

Aチームの調理室に入った。

一瞬三人の動きが止まったが、すぐに作業が再開された。

聡は声を掛けた。「作業をしながら聞いてください。昨日もBチームに負けてしまいました。一週間ずっと負けています。どんどん差が開いています。そこで、どこに問題点が隠されているか、探さなくてはなりません。まず調理の上がり時間なんですが、予定通りになっていますか？」

箸がボウルに当たる音しかしない。こいつらは質問に答えることもできないのか？

「金さん、どうです？　スケジュール通りに惣菜や弁当は上がっていますか？」

「ケンチョウさんが決めた通りにやってますよ」

「味はどうです？　一定ですか？」

金がちらっと陳を見た。

「陳さん、どうです？　味は？」

箸を止めた。「一定だよ。ケンチョウさんが決めた通り」

「そうですか。それでは、ちょっと味見をさせていただいてよろしいですか？」

陳が睨んできた。

なんだよ。調理人のプライドってやつか？　邪魔だな、そういうのは。

「いただきますよ」トレーに並ぶコロッケを手で摘《つま》んで、頬張った。

うっ。熱い。すぐに口から出した。

三人がじっとこっちを見つめている。

精一杯の涼しい顔で口に入れた。

上顎にジャガイモが引っ付いて、むせた。

金がコップに水を入れて、差し出してきた。

「どうも」

「ブチョウさん、味、ちょっと違う言った」ルブカが言った。

「誰です？」

「ブチョウさん。犬連れてるブチョウさん」

「ホームレスの？」

「そう。値段言ったら、驚いたよ」

一気に頭に血が上った。恵んでやってる男から味をどうこう言われたくない。だいたいなんでホームレスに聞くんだ。落ちてる物を拾って食べてるんだぞ。

「あの人にとっては驚きの価格でしょう。でも二百円のコロッケを高いとは思わない人もいるんですよ。そういう生活レベルの人もね。Aチームはそういう人がターゲットですから」

金が不安そうに皆を見ている。

オーブンのブザーが高らかに鳴り響いた。

「とにかく原因を早急に究明します」聡は宣言した。「そして想定通りの数字を取っていきましょう」


「どお？　惣菜戦争は？　あと二週間でBチームに追い付けるの？」

振り返ると、渡辺が聡の隣でケースを覗いていた。

隣にはよく三階をちょろちょろしている悪ガキがいた。

「現在問題点を考察中です」

「相変わらず難しいこと言うね」

シカトした。

「キリン」

振り返ると、悪ガキが掌を出していた。

手のなかを覗くと、五センチほどの透明のキリンだった。

「こいつがガチャガチャで当てたらしいんだ。で、県庁さんにあげるってさ」渡辺が言った。

「僕に？　どうして？」

「さぁ。ちょっと似てるからじゃないか？　県庁さん、首長いから」

悪ガキに言った。「くれるの？」

「うん」

「どうも」手に取った。

渡辺が大声を上げた。「うわっ。赤いバンダナしちゃってるよ」ガラス越しにBチームの調理室を指した。

キリンをポケットに入れた。「そのようですね」

「すっげぇな。そのうち歌でも出す気じゃないだろうな。怖い怖い」

餃子《ギョーザ》のパックを手に取った。消費期限の時間になってしまった。二十個全部が売れ残ってしまった。

「売れない餃子、売れない餃子」悪ガキが節をつけて言い始めた。

渡辺が悪ガキを後ろから抱え込み、口を押さえた。「ちょっと聞いてみたら？　パートのおばちゃんたちに」

「聞く？」

「そう。パートのおばちゃんたちはさ、従業員であると同時に客でもあるんだからさ。なんでこっちを買わないのかってさ」

「そんなの決まってますよ」

「なに？」

「高いからですよ。スーパーでパートをしている主婦がターゲットじゃないんです、こっちは。だから聞く必要なんてありませんよ」

「あぁ、そう。じゃ、せめてトラブタに聞くとか、高橋のおっさんに聞いてみたらって、怖い顔してんなぁ。そんなに聞くの嫌？」

餃子のパックのあった場所にコロッケを移動した。

「部長さんは？」

猛スピードで振り返った。「いい加減にしてください。なんでホームレスの意見を聞かなきゃいけないんです。必ず挽回してみせますよ。だから黙っててください」

渡辺と悪ガキが揃って頷いた。

6

絶不調だった。泰子の出した句には一票も入らなかった。登志子は淡々と句会を進めた。今日は成長する息子を見守る母親の心情を詠《よ》んだ。心配、不安、怒りを綴《つづ》った。リアルな母親の気持ちだ。それなのに、なんでよ。

帰り道で一緒になった大岡《おおおか》すず子と喫茶店に入った。

泰子が言った。「すず子さんに作っていただいた吟行《ぎんこう》のしおり、皆さんに好評でしたね。ありがとうございました。凄いですよね。パソコンであんなに立派なもの作れるなんて」

ゆったり微笑んだ。「パソコン教室通ってるから」

「へぇ」

「最初はたいへんだったの。でも六十歳以上の年寄り向けの教室でね、先生がとっても親切だったから嫌いにならずに続けられたわ」目を大きくさせたままアイスレモンティーに口をつけた。

すず子はいつも目を大きく見開き、驚いたような興味津々《しんしん》の表情をしている。鳩《はと》が豆鉄砲をくらったときのようだから、句会の仲間からはクルックーという呼び名を拝していた。健康そうなピンクの頬をしており、とても六十五歳には見えない。いつも花柄のブラウスを身につけている。ぽちゃぽちゃした左手の薬指に、大きなサファイアのリングをしていた。

すず子がストローから口を離した。「ほら、年寄りは何度も教えてもらわないとできないでしょ。辛抱《しんぼう》強い先生じゃないとダメなのよね」

「私なんてなんにもできなくて。息子に教えてくれって頼んだんですけど、どうせ教え方のせいにして八つ当たりするだろうからって、断られてしまいました」

「親子じゃダメよ。腹立つもの、できないと」口をすぼめて小声になった。「英語をね、娘から習おうとしたことがあったのよ。でもダメ。喧嘩《けんか》ばっかり。娘は文法を理解しろっていうの。とんでもないでしょ。私はね、海外旅行で楽しくお買い物ができたり、行きたい場所に行ければいいって言ってるのに。衝突ばっかりですっかり懲《こ》りたの。他人に教わるのが一番。お互い遠慮しますからね」

「そうかもしれませんね」

「来月の吟行へはデジカメを持って行くつもりなの。涼しくなってるといいんだけれど」小さな扇子《せんす》で自身の顔を扇《あお》いだ。「ま、九月も半ばになれば暑さもひと段落してくれるでしょう。吟行報告の仕上がりも楽しみにしてて」

「わっ、凄い。よろしくお願いします」

「いえいえ。私自身が楽しんでますから、こちらこそ感謝してるんですよ」ストローで何度もレモンを突き刺した。「どうです？　俳句の調子は？」

うな垂れた。「もう全然ダメです。今日も一票も入りませんでした」

「そういうときってありますよ。自信のある句に票が入らなくて、もういいやって感じで出した句に高い評価をいただいたりね。泰子さんはこれから、これから」

「はぁ。あの、今更なんですけど――お聞きしていいですか？」

「なんでしょう」

「どうやって句を作っていらっしゃいますか？」

「えっ？」

「今日は母親としての気持ちを正直に句にしたつもりなんです。でも一票も入らないってことは、私の考え方は――想いは、ちょっと他の方とは違うのかもしれないと思って」

「そう――ライオンかな」

「は？」

「泰子さんの句は……ほら、ライオンが我が子を突き落として這《は》い上がらせるお話、あるでしょ。ああいう感じがするわね。でも誤解しないでくださいね。愛情をたくさんお持ちなのはよくわかってますよ。他の方と同じですよ。ただ……わかりにくいかもね。泰子さんの愛情は」

「はぁ」

「気持ちって一つじゃありませんでしょ。表に出て来る感情の下にはね、違う気持ちが潜《ひそ》んでいるでしょ。たとえば、子どもがしっかりしたことを言えば、大きくなったんだなって思いと同時に、親離れされたようで淋しく感じたりね。泰子さんは生意気なこと言ってという部分をお詠《うた》いになるでしょ。そこをね、一つ捲《めく》って、その下の気持ちを詠んでご覧になるといいんじゃないかしら」

「……一つ下」

「えぇ」人差し指を顎に当てた。「独立したいと言われたら、甘いと思う気持ちの下にいろいろ隠れていると思うのよ。失敗してもいいから好きにやりなさい、見守っているからね、とかね。もう一つ下には心配だわって気持ちがあるかもしれないわよね。そのまた一段下には、心配するのが親の仕事だからと、諦《あきら》めの気持ちがあるかもね」

「はぁ……メモ取ってもいいですか？」

コロコロと笑った。「まぁまぁ」

＊

鮮魚加工室のドアをノックした。「高橋さん、今いい？」

「あぁ」刺身包丁を布巾《ふきん》で拭いた。「どうした？」

鮮魚加工室は鮮魚売場の真後ろにあり、上部に付いた横長のガラス窓から店内の様子が見えるようになっている。

「これ」Ａ４の紙をテーブルに置いた。「来週飲み会があるの。出てもらえる？」

「来週？」

「そう。来週の水曜日。ほら、八月二十五日で開店記念日なのよ。本橋さんが突然思い出したみたいでね」

「朝早いからな。夜はきついんだよ」すまなそうに首を傾《かし》げた。

「そう？　一時間だけでもダメ？」

「まぁちょっと顔出すくらいなら」

「本当？　サンキュー。最近どうなの、馬のほうは？」

「負けっぱなしだ」

「そうなの？　競馬やめたら貯金もできるんじゃない？」

「そしたら夢がなくなるよ」

「夢ときたか」イヤホンに目を当てた。「そんなに夢中になっていつも新聞読んで研究してるのに、どうして勝てないの？」

「へんな馬にしか賭けないからだ」

「へんな馬？」

「そう。臆病《おくびょう》なヤツとか、怪我したヤツとか。そういう馬にしか賭けない」

「へんなの」

「阪神ファンに言われたくないな」

「失礼ね」

「あれは飲み会に出るのか？」

「誰？」

「県庁」

「これから誘うとこだからわからない。なんで？　県庁さんが出席するんじゃ嫌？」

「いや」まな板をシンクまで運び、流水で洗った。「Aチームは苦戦中らしいじゃない」

「そう。ま、最初から勝負にならないって話は出てたんだけど。ナベちゃんが賭けにしようとしたけどダメだったって。皆Bチームが勝つって予想するから、どんなにオッズを高くしてもAチームには誰も入れなくて。食品の高級ブランドを作るっていうのは、いいアイデアだと思うんだけどね」

「なら、なにがいけない？」

「リーダーが……県庁さんだからね」

顔を崩して笑った。

「ね、へんな馬にしか賭けない主義なんでしょ。だったらAチームに賭けたら？　阪神ファンとして、私も負ける見込みの高いAチームに賭けるから」

「へんな馬っていってもさ、魅力のある馬にしか賭けないんだよね、俺は」

「魅力、ない？」

「なにか魅力、ある？」

「えっと……ちょっと待ってよ。今考えるから」腰に手を当てた。「えっとね、魅力は――オッズが高いこと」

「賭け率かい」

「でもさ、勝ったら気持ちいいわよ、きっと」

　高橋が考えるような顔つきをした。

7

　ポップでケースを飾った。

　ネットで取り寄せた高級和紙に、自宅のプリンターを使って印刷した。商品名と価格。それに食材の素晴らしさと、手間暇かけた調理法をまとめた。Ａ４サイズの紙にはこだわりのポイントが羅列してある。裏に厚紙を貼り、脚を付けて立てた。

　八月の勝負決着まであと十日しかない。

　相手チームを誹謗《ひぼう》中傷する宣伝方法は取らないと決めてある。Ｂチームは期限切れの危ない食材を使っていると、Ａチームはうたえないのだ。

　Ａチームの商品の素晴らしさをわかってもらうよう努めるしかない。知らせる努力が足りず、先週もＢチームに完敗した。ヒリヒリした刺激が、血管に乗って全身に運ばれるようだった。

　浅野が声を掛けてきた。秘策はなんだと聞いてきた。そんなこと、わかれば苦労はない。最後にはＡチームが勝つと思っていると浅野は言った。嫌なプレッシャーを掛けてくる。

　ケースの上に赤いフェルトの布を敷く。黒い容器とのコントラストで高級っぽく見えるように。

「もしかして、野村？」

振り返ると、桜井が佇《たたず》んでいた。

「おう、どうした桜井」

「どうしたって、お前こそどうしたんだ？　そんな格好して」

「これか？」白い作業着のウエストあたりを引っ張った。「調理室のなかに入るときには、こういう格好じゃないとまずいんだよ。そうだ、これを見てくれよ。僕のチームのケースなんだ」

「チーム？」

「そう。二つのチームに分かれて売上を競ってるんだ」ため息をついた。「なかなかたいへんでね」

「あぁ……そうか。じゃ、一個買わしてもらうよ」

「本当か？　悪いな」

「そんな嬉しそうな顔されると、驚いちゃうよ」

左手で弁当を一つ取った。「どうしたんだ？　今日は。役所は休みか？」

目を逸《そ》らした。「まぁな。休憩取れないのか？」

「あぁ、いいよ」


裏の神社に五穀米弁当を持って行った。

鳥居をくぐると二百メートルほど先に社《やしろ》が見える。左手の社務所の横に並べられた竹製ベンチに腰掛けた。社の奥には背の高い木々が立ち並んでいた。今年の夏は短くて、盆の頃から、外で過ごすのが苦ではなくなっていた。

弁当を広げ、緑茶のペットボトルを二人の間に置いた。

「さ、食べてよ。感想聞かせてくれ」

「あぁ、いただきます」おかずと五穀米を、見る間に掻き込んだ。「ん、旨《うま》いよ。肉は柔らかいし。飯も――見た目はちょっと不味《まず》そうだったけど、食べてみると旨いよ」

「そっか？」世辞だとわかっていても心が躍る。「食材が違うんだ。だから美味しいんだ。それで安くはできないんだ。しかし、売れなくてね」

「そうか」

白い小さな石が敷き詰められた地面を眺めた。

桜井がご馳走様と言ったとき、聡の弁当にはまだ半分以上が残っていた。

「ゆっくり食べてくれ」桜井が潤んだ声で言った。「俺、昔から食べるの早いんだ」

「あぁ」

「ここでよく食うのか？」

「たまに。いつもは社員食堂があるからそっちで食べてる。気分転換したいときに、たまにここに来るんだ」

「そうか」

「いろいろあったようだけど、研修修了できて良かったな。今は県庁に戻ってるんだろ？」

「あぁ」社のほうへ首を捻った。「だが――閑職でな」

「もとの職場に戻れたんじゃないのか？」

「それはできないと言われた。でもそれでも構わないって言ったんだ。一応上級職だし。そう酷《ひど》い部署には回されないと踏んでたから」

「どこになったんだ？」

「Zダム管理事務所」

息を呑んだ。

「内示を受けたとき、慌てて県の組織図で探してみたよ。あったね、隅っこに」

「そこで――なにしてるんだ？」

「ダムの制御コンピュータをじっと見つめてる」

聡は枝豆を摘んだ。「でもずっとじゃないんだろ？」

少し間があった。

「さぁな」

カラスが狛犬《こまいぬ》の頭に止まった。

「でもさ」桜井が両足を投げ出した。「スポーツクラブよりましだよ」

「……そっか」

「お前は頑張ってるみたいだな、あそこで」顎で店の方角を指した。「その格好を見たときは胸が潰れそうになったけど――ちょっと活き活きしてる感じだし。お前は研修最後まで頑張れよ。成果出して、県庁に戻って来い」

「あぁ」切なさで胸が痛んだ。

「俺はこの生き方を変えられない。もっと器用に立ち回れたら、県庁での暮らしも楽になるんだろうけど――。胸を張って仕事したいんだよな。俺がスーパーで、お前がスポーツクラブに派遣されてたらどうだったかな」

「あぁ……どうだったかな」

「お前ならたぶん最後までやったと思うよ。俺はスーパーに馴染《なじ》めなくて、研修途中で県庁に出戻っていたかもな。俺はつぶしがきかなくてダメだな」

さやいんげんのゴマ和《あ》えを口にした。長いこと噛んだ。

＊

調理室のドアを開けた。

三人がそれぞれゆっくりと動きを止め、聡の顔を見つめた。

三人の顔を見回しながら言った。「先週もまた、Bチームに負けてしまいました。もうかなり厳しいです。従来の品にお客さんたちは慣れていますから、新商品が浸透するまで時間がかかっているんでしょう。来月です。九月こそ、Aチームが勝ちます。頑張りましょう」

ルブカが手を挙げた。

「はい。ルブカさん、なんでしょう」

「二万円、貰えないですか？」

「そうですね。この調子だと今月は難しいでしょうね。でも九月は二万円を取りにいきましょう」

「誰のせい？」

「えっ？」

意味がわからず、金と陳へ尋ねるように顔を向けると、険のある目と出くわした。なにが言いたいんだ。僕の責任を追及でもするつもりか？

「僕はAチームのリーダーです。ですから僕の指示に従って皆さんは惣菜を作ります。ただ売上はいろんなものから影響を受けます。先週はテレビで紹介されたために、午後二時からカキフライが突然売れましたよね。残念ながらカキフライはAチームのメニューにはありませんでした。予想できないこともあるんです。来月からはこういった不測の事態にも対応していく準備を進めたいと思っています」

ルブカが再び手を挙げた。「Bチームに行きたいね」

「えっ？」

「Aチーム、手、挙げてない。金さんも陳さんも。なのにAチームになった。二万円欲しいですから、Bチームお願いします」

こいつら、そんなつまらないことを考えてたのか。下の者は僕の言う通り、黙ってやってればいいんだ。

「チームを移動はできません。ルブカさんがBチームに行きたくても、Bチームの人たちが嫌だというんじゃありませんか？」

ルブカが口を開きかけたが、すぐに首を左右に振って横を向いた。

「メニューだろ」陳が言った。

「は？」

「品が違ってるんだ。ケンチョウさんが作れと言ってるモノが間違ってる。だから売れない」

まさか。僕のせいだと？　冗談じゃない。どれだけ研究したと思ってるんだ。市民のエンゲル係数から、ヒット商品のセオリーまでこっちは熟慮したんだ。

陳が挑戦的な目を向けてきた。「なんで俺たちの意見を聞かないんだ？　少なくともケンチョウさんよりはここで働いてきたんだ。なにがいつ売れるか、どんな客がなにを買って行くか知ってる。だけどケンチョウさんは、これを作れと命令するだけだ。作るよ。売れるならね。だけど売れないじゃないか。作っても作っても廃棄じゃ、やる気なくすよ。誰だって」

なんでそんなに日本語が流暢《りゅうちょう》なんだ。いつも挨拶にだって碌《ろく》に返事を返さなかったくせに。身体が怒りで震える。

「結構です。では、どうぞ意見を述べてください。書類を――いえ、口頭でも結構です。どんなメニューなら売れるんですか？　売れる商品を好きなだけ作ってくださいよ。さぁ、どんなメニューなんです、売れるっていうのは」

ルブカが首を掻いた。

金が陳と聡を交互に見つめる。

陳は紅潮した顔のまま、炊飯器の蓋を開けた。

正規の食材で、弁当を作ることに意義がある。二万円欲しさに、不正食材を扱うチームに行きたいなど短絡的な考え方だ。目先の売上の数字より、価値のある業務に従事している自覚をもつべきだ。

＊

県庁を見上げた。久し振りに見るグレーの建物は、今まで以上に威厳を見せている。九月一日、今日は研修に出ている者の第一回目の報告会が県庁で開催される。

全身で風を受けた。

周囲に建ち並ぶ高い建物の影響で、ここにはいつも強い風が吹き付けている。庁舎には東西南北の四か所に入口がある。この正面口の前にだけ強風が躍る。聡はここに立つのが好きだった。

正面入口からなかに入った。すぐ左に受付のカウンターが並ぶ。颯爽《さっそう》とした足取りで通り過ぎる。吹き抜けの天井は十九メートルある。右のロビーでは県民たちがテレビを見ながらなにかの順番を待っている。

エスカレーターで二階まで上る。無駄なハコモノと散々非難されたこの庁舎は、三年前に建てられた。施工を決めた県知事は落選し、現在は運送会社の社長をしている。

二階のインターネットカフェを通り過ぎ、エレベーターに乗り換える。

十二階で降り、研修室を目指して胸を張って歩く。みるみる力が漲《みなぎ》ってくるのを感じる。

指定の会議室に足を踏み入れた途端、声が掛かった。

「よぉ、久し振り」

入来《いりき》剛《つよし》が左手を挙げていた。

四十平米ほどの研修室の上席には、人事委員会の松本《まつもと》五郎《ごろう》部長と、人事課の山田《やまだ》克実《かつみ》課長がすでに並んで座っていた。

聡はまっすぐ上席に向かい、松本に一礼し、山田に報告書を提出した。

山田は頷き、席に着くよう、掌の動きだけで指示した。

上席に向かうように、椅子が五つ並んでいた。

入来の隣席につき、左のアームに折り畳まれたミニテーブルを出して広げた。

山田に促《うなが》された松本が、着席したまま話しはじめた。「本日はご苦労様です。四か月ぶりに皆様の元気そうな顔を見られて、たいへん嬉しいです。研修はたいへんでしょう。民間では学ぶべきことはないと思ってる人もいるでしょう。しかしながら、途中で降りることは許されません。あと七か月余りです。最後までつつがなく務めてください。短気は損気です」

山田が大袈裟《おおげさ》に背中を反らして、笑ってみせた。

入来が目玉を中央に寄せたおどけた顔を聡に向けてきた。

すぐに上席へ視線を向け、入来のちゃちゃをシカトした。

山田が口を開いた。「書類作成、ご苦労様でした。詳細はこれを読むとして、なにかこの場で報告したい人はいますか？」

石坂貴文《いしざかたかふみ》が手を挙げた。「えー、私はペットショップで研修中です。飼い主のことをお父さん、お母さんと呼ぶことを学びました」

爆笑が起きた。

山田が松本の顔色を窺いながら言った。「わかってますから。松本部長も、そこら辺は重々わかっておられます。いいんです。知事の顔を立てておけば、それで」小声になった。「書類さえきっちり出しておいてくれれば、こっちでうまくやりますから」

入来が上半身を前に乗り出した。「僕の研修先の紳士服店は潰れそうです。研修修了まで店が保《も》つか心配です」

再び笑いが起こった。

松本が笑いながら眼鏡を外して、テーブルに置いた。「潰れるのは困りますね。売れないんですか？」

「売れません。僕が担当しているベルトの売上は一週間でゼロです」

聡は驚いて入来を見た。

入来はミニテーブルに両手をだらりと置き、続けた。「二着で一万九千八百円のスーツは先週の日曜日に八着売れたのが、今年のレコードだそうです。店長は、県がらみの注文が欲しくて僕を受け入れたとカミングアウトしました」

ざらついた気分で、入来のにやけた横顔を見つめた。なんでこんなに苛々《いらいら》するんだろう。


報告会が跳《は》ねた後、入来と駅前の喫茶店に入った。

袋からストローを出しながら入来が言った。「スーパーはどうよ？」

「弁当の開発を任されて――そこそこやってるよ」

「マジで？　お前も結構酷い目に遭わされてるんだな」

「え？」

「そんな仕事、お前がやるほどのもんじゃないだろ」

「まぁ……そうなんだけど」ストローでグラスのなかの氷を突ついた。「自分で開発した品が買物籠《かご》に入った瞬間は――ちょっといいもんだけどな」僕はなにを言ってるんだろう。

「桜井みたいなコネがあったらな。俺も研修降りたいよ」

「桜井はダム管理事務所で冷や飯だろ」

「ところがところがよ。あいつ、生活環境部の男女共同参画課に潜り込んだんだぜ」

「そうなのか？　ほんの十日前に会ったときはそんな感じじゃなかったけどな」

「いいよな。親戚に力のある人がいるヤツは」

「あいつが——桜井が自分でそうしたのか？　ほかの誰かの力が入ったんじゃないのか？」

「いんや。人事課の結衣《ゆい》ちゃんからの情報だから間違いないね。すんごい動き回ったらしいぜ。親戚の力だけじゃ足りないと踏んだらしくてさ、八面六臂《はちめんろっぴ》の大活躍だったらしいよ。結衣ちゃんが感心してたから。あそこまで露骨に権力に擦《す》り寄れる人とは思わなかったってさ」

ストローを手放した。カチンとグラスが鳴った。

心の隅にヒビが入った気がした。

8

病院に駆けつけた。ロビーの長椅子に座っている学を見付けた途端、腰が抜けそうになった。無事だった。ありがとうございます。感謝の言葉を呟いた。

突然携帯に見知らぬ男から電話が入った。学が怪我をして病院に運ばれたという。男は「お母さん、落ち着いてください」と言った。男は学がバイトするコンビニ店の店長だと名乗った。学の勤務中に強盗が店に押し入り、ペンチのようなもので学の頭を殴ったのだという。途端に頭が真っ白になった。学がコンビニでバイトしていることをはじめて知った。

教わった病院に向かうタクシーのなかで、男の言葉が何度も頭の中をリフレインした。お母さん、落ち着いてください。落ち着いてください——生まれてはじめて言われた言葉だ。電話を受けたときから別人になったみたいだった。窓に顔を近づけた。心配そうな老《ふ》けた女の顔があった。

結局怪我はたいしたことがなかった。診察後、警察から事情聴取を受けた。もう帰っていいと言われたときには日付けが変わっていた。

安心した瞬間、ぐぅっと腹が鳴った。

急激に怒りが湧き上がってきた。なんだってコンビニでのバイトを隠していたわけ？　同じ家に暮らす家族に内緒にする理由ってなんなのさ。突然見知らぬ男から、お母さん、落ち着いてくださいなんて言われたら動転するじゃないのさ。

外に出た。闇《やみ》のなかに無人の車が二十台以上も駐車されている。なんだか怖くなって身震いした。

「タクシー乗ってく？」泰子は尋ねた。

「いや、大丈夫。歩ける」

「そう」

並んで夜の街を歩いた。

ずるっ、ずるっ。学がスニーカーを引き摺《ず》る音が物悲しげに響く。短調だな――当たり前か。襲われた後なんだから。

こうして並んで歩くのは何年振りだろう。女の子だったら――一緒に買い物に行ったり、洋服を貸し借りしたりして、友達になれるのかもしれない。しかし息子とは――友達にはなれない。うちだけ？　たぶん違う。男の子はある日突然母親と距離を置く。

「怒らないの？」学が小声で言った。

学の横顔に視線を当てた。小さな顔の輪郭を眺めた。

言いたかった文句がふっと消えた。

殊更《ことさら》大きな声を泰子は張り上げた。「腹が立ち過ぎてさ――その下には心配な気持ちがあって、その下にはもしものことがあったら、強盗犯を絶対に殺してやるって気持ちがあって――その下にはどうか命だけは助けてくださいって気持ちが――あるのかな？　とにかくいろんな気持ちがあって難しくって、お腹空いちゃった。ちょっとファミレスでも行かない？」

「えっ？」

ガツンと食べたい。なにもかも横に置き、腹を満たしたかった。今頭に浮かぶのは『肉』の絵。

学は自身の足元を見ながら歩き続けている。食欲旺盛の母に呆れたのか。それとも聞こえなかったふりをするつもりなのか。

居心地の悪い時間が過ぎていく。食欲は本能だもん。生きるうえで必要な欲望だとどっかで聞いたし。おばさんだって腹は減るんだ。悪いか。

「こっち」学が突然立ち止まって、右を指差した。「ファミレス行くならこっちが近道」

「あぁ」聞こえてたんだ。

住宅の並ぶ細い道を歩く。街灯で照らされた部分が不機嫌そうに見える。起こされていることに腹を立てるかのように。

ファミレスに入った瞬間、足が止まった。白々しいほどの明るさで満たされた店内。明るいカントリー・ミュージックがかかっている。なんでこんな不自然な空間作るの？

泰子はデラックスハンバーグセットを、学はホットケーキを注文した。

途端になにもすることがなくなった。暇なので向かいの学を見つめた。

「ホットケーキなんて、随分子どもっぽいもの注文するのね」やっと見付けた嫌味を口にした。

「ホットケーキ好きなんだ。子どもの頃から」

「そうだっけ？」首を捻った。

「ナイフとフォークで食べるのが格好良く思えたんだ、子どもの頃は」

「へぇ」

「テストでいい点を取ったとき、ホットケーキを焼いてくれたじゃない」

「そうだっけ？」

「そう。僕がいい点数を取って、母さんが疲れていない日には」

心にコツンと響いた。

早口で話しはじめた。「会社は先月で辞めたんだ。来週から新しい会社に入ることが決まってる。今はホームヘルパーの資格を持ってると働き口はいくらでもあるんだ。介護の会社を作ろうと思ってる。でも資金がないからバイトして貯めようと思ってる。だからコンビニで働いてる。ホームヘルパーとバイトを掛け持ちして、独立費用を貯めるつもり。まさか強盗に遭うとは思ってなくて――母さんには内緒にしてた。またいろいろ言われると思って」

介護の会社を作る？　ボランティア団体はどうなったんだ？　ま、どっちでもいいか。何枚か捲った先には、がんばんなさいって気持ちが隠れてるはずだから。

鉄板が運ばれて来た。ハンバーグは紙の要塞《ようさい》で守られている。ウエイトレスがソースをハンバーグにかけた。ソースの弾ける音とうっとりするような匂いで、卒倒しそうになった。ごくりと唾《つば》を呑み込み、じっとハンバーグに熱い視線を送る。なにかを説明するウエイトレスの言葉は無視した。ソースの音が小さくなっていく。もういいだろう。紙を外した。すぐに端をカットして口に入れる。胃がぐぅんと動いた。

顔を上げると、学がくすくす笑っていた。

学を睨みながらフォークで白米をすくった。

9

喫茶店でスポーツ新聞を読んでいる陽平に声を掛けた。

「仕事中なのに呼び出してすまなかったな」

「まだ十五日だっていうのに、九月のノルマは達成してんだよね。俺、仕事できっからさ」笑いながらテーブル上の新聞の束を、横の椅子に置いた。「あいちゃんのこと、だよな」

「あぁ」

アイスコーヒーを頼み、陽平と向き合った。「あいちゃんの連絡先を知らないかと思ってさ」

「電話でもそう言ってたな」

「そう。携帯の番号が変わったみたいで、現在使われておりませんってなるんだよ」

「お前、その子と付き合ってたんだよな」

「そう」

「お前んちに泊まったり、アバンギャルドな料理を作ってくれてたんだろ」

「そう」

「自宅の電話番号は？」

「自宅には電話を引いてないって言ってた」

「独り暮らしか？」

「そう」

「で、住まいは」

「知らない」

「なんで？」険《けわ》しい顔をした。

「家まで送ったことなかったし。いつもうちに泊まって、電車で帰って行ったから」

「なんだ、それ」

「でもK駅の近くってことはわかってる」

「あいちゃんと会ったときの合コンで、幹事してた子にメールしたんだけどさ、メルアド変えられちゃってて。連絡つかなかったんだ」

「そうか」肩を落とした。

「バイト先は？」

「Y駅近くのカフェ」

「店の名前は？」

「知らない」

「なにやってんだよ」叱《しか》るような口調だった。「ほかにヒントはないのか？」

「ない、な」

「あのさ、どういうことよ、それ。喧嘩した？」

「してない」

「喧嘩してないのに、黙って携帯の番号変えるって、それ……フラれたってことじゃないのか？」

「それ、あり得ないんだよ。なにか事件に巻き込まれたんじゃないかと思うんだよね」

不安が一気に胸に広がる。彼女はちょっとトロくて、無防備過ぎるところがあった。

「ええ？　そんな可能性あんのか？　お前、どんな子と付き合ってたのよ。頼むから、スパイだとか、スナイパーだとか言わないでくれよ」

「普通の子だよ。今は普通の子でも事件に巻き込まれる物騒な時代だろ」

「まぁ……なぁ。最後にどんな話をしたのか、教えてくれよ」

「四日前に電話があったんだ。今、入金したって」

「ちょっと待て。入金ってなんだ？」

「彼女のおばあちゃんが施設に入るための入所金」

「なんでそんなことをお前に報告してきたんだ？」

「僕が金を渡したから」

「あっ」

「なに？」

「嫌な予感がする」

「なんで？」

「いくら払った？」

「三百万」

小声になった。「マジで？」

「あぁ。入所金、八百万するんだ。いい施設だから入れたいけど、母親の貯金は五百万しかないっていうから」

陽平がいきなり手を握ってきた。「強く生きろ。俺がついてる」

「なに？」

「結婚ちらつかせただろ、その女」

「それは……まぁ。彼女はそうしたいみたいでね。毎日一緒にいたいようなこと言うし」

掌で顔を覆った。「それからどうした？」

「結婚したら、彼女のおばあちゃんは僕のおばあちゃんにもなるって言うし」

「そうかそうか。それで三百万渡したんだ。もちろん振り込みじゃなくて、現金で渡したんだろうな」

「そう。振り込むと手数料がもったいないからって。銀行で下ろして、彼女がバッグに入れて持って行ったんだ。心配だって言ったから、安心させるために入金が無事に済んだことを電話してきたんだよ」

「それから連絡取れなくなったんだ」

「そう」

「いい加減気付けよ」

「なにを？」

「騙《だま》されたの」

「えっ？」

「その施設の名前、覚えてるか？」

「えっと、シルバーハピネスの里」

「ちょっと待て」カバンからノートパソコンを取り出し、キーボードを叩く。「それってG駅の近くのか？」

「あぁ、確かそう言ってた」

陽平はホームページに記載されている番号に、携帯から電話をかけはじめた。「苗字《みょうじ》はなんだ？」

「えっ？　漆原」

「ばあちゃんの名前はなんて言うことになってた？」

「確か——マツイって言ってた。カタカナでマツイって」

「もしもし、ちょっとお尋ねします。母を預けたいと思っておりまして、施設を探しているところなんです。知人にそちらがいいと聞きまして、一度見学させていただけないかと思いまして。ええ、そうです。漆原さんって言います。マツイさん。カタカナでマツイさん。おばあちゃんです。はぁ、そうですか？　旧姓かな？　マツイさんはいない。四日前に入所金を入金したって言ってたんですけどね。はぁ、そうですか。そちらS駅の近くですよね。あれっ？　違います？　G駅？　あっ、ごめんなさい。ちょっと勘違いしちゃったみたいで。申し訳ありませんでした」片方の眉を上げて聡を見た。

どういうことなんだ？　混乱していてよくわからない。入金していないということは、あの三百万はあいの手元にあるのか？　祖母の話も、ホーム探しも全部嘘だったのか？

陽平がぐっと身体を聡に寄せてきた。「お前が役人で本当に良かった。貯金がゼロになったとしても、来月の給料日には必ず給料が振り込まれるからな。給料が遅れたり、倒産もしない。なによりだ。よし、今日はとことん飲もう」腕時計を見た。「四時か。もうやってる居酒屋あるかな？　居酒屋が開く前にプロント行くか？　あそこにはビールあるぞ」

この僕があの程度の娘に騙された——なんてことだ。背もたれに背中を預け、目を閉じた。

＊

一息入れるため一階の裏口に行った。

オロナミンCを買い、ベンチに座った。風邪をひいたときのように全身がだるい。油断してるとあいの姿が浮かんできてしまう。あいが消えてから十日にもなるというのに、まるでモテない女のような執着心だ。自分を騙した女のことなんか忘れろよ。未練のある自分が情けなかった。

部長が聡に近づいて来た。犬も一緒だ。

ベンチの横に並ぶゴミ容器の前で立ち止まった。三つのゴミ容器のうち、一番右端の容器を開けた。なかから廃棄処分の弁当を取り出し、地面に並べはじめた。

廃棄処分の品物は分類され、生ゴミはスーパー内で粉砕機にかけられ、九時間かけて肥料にされる。それ以外は業者に委託して処分している。弁当は本来であれば、容器から出され、粉砕機行きだ。だがホームレスのために、わざと毎日数個の弁当をゴミ容器に捨てておくのだと聞いた。

部長と犬が弁当を品定めしている。

憐《あわ》れだな。どれだけ偉かったのか知らないが、今は弁当を恵んでもらう境遇だ。リストラされたって新しい仕事を見つければいいんだ。贅沢《ぜいたく》を言わなければなにかあっただろうに。

部長が三つの弁当と二つの惣菜パックを手にして、残りをゴミ容器に戻しはじめた。目が合った。

聡は慌てて目を逸らした。

部長がリヤカーに近づくと、犬が勢い良くその上に飛び乗った。ぼんやりと彼らを見送った。

ゴミ容器に視線を戻す。ふと、思い付いて、周囲を見まわした。誰もいない。腕時計を見ると、夕方の休憩にはまだ時間があることがわかった。立ち上がり、ゴミ容器の戸を開け、ステンレスの内容器を手前に出した。

あっ！　部長が残したのはAチームの弁当と惣菜ばかりだった。どういうことだよ。なんでBチームのだけ持って帰るんだ？　グルメなんだろ。だったら素材のいいAチームの弁当を選ぶべきだろう。味だって旨い。

わけがわからなかった。

＊

二階の従業員用トイレに行ったが、清掃中の札が出ていたので三階に上がった。用を足していると、わずかに開いたドアから声が流れてきた。トイレ横にある喫煙コーナーで立ち話をしているのだろう。

「どう、県庁さんは？」

「頑張ってますよ」

聡は耳をそばだてた。答えたのは浅野に違いない。

「じゃあ、異動はさせなくていいのね？」本橋の声だ。

「はい。うちで研修期間終了まで保《も》つでしょう」

「さすがですね。皆がてこずってた県庁さんを飼い慣らしちゃうんだから」

「目標を与えてやればいいんですよ。そうすりゃ、走り出しますから。ほら、ハムスターが輪っかのなかでずっと回り続けているじゃないですか。あれと同じです」

えっ？

「Aチーム、九月も全然ダメだって？」

「当たり前ですよ。県庁さんがリーダーなんですよ。商売のことなんてまったくわかってないんですから。陳さんたちも可哀想に。目玉商品の五穀米弁当だって主食がヘルシー系なのに、オカズをボリュームのある牛ステーキにしてるんですから、なってないでしょ。普通つけ合わせるなら年寄り好みの焼き魚や里芋《さといも》の煮物なんです。どんな食生活の人を設定してんだか。客が見えてないんですね。ああいう人を見られないタイプは、それで失敗するんですね。で、その失敗の原因が自分にあるとは気が付かない。Aチームの三人が気の毒で」

「競争させてるお陰で惣菜全体の売上は伸びてますね」

「ええ。Aチームが出してる損失も、Bチームの売上でカバーしてます。この調子で来年の四月までいきたいですね」

「本当に」

密閉されたトイレで風が吹いた。全身が急に冷えていく。ハムスター？　Aチームの失敗は自分のせい？　客が見えてない？　まさか。どこも間違ってはいないはずだ。

浅野も本橋も笑ってたんだ。浅野の感心したような表情が浮かぶ。楽しみですなと肩を叩かれたときの感触が蘇《よみがえ》る。ギシギシと脳味噌が蠢《うごめ》く。皆が自分の失敗を待っていたのかもな。

二人の声が消えた後、ゆっくり洗面台の前に移動し、鏡に映った自分の顔を見つめた。

10

二週間後の十月十五日から行われる祭礼の寄付金を、裏の神社へ届ける途中で野村の姿を見つけた。

「なに黄昏《たそがれ》てんの？」泰子は社務所の横のベンチで弁当を食べる野村に近づいた。

「お疲れ様です」

野村の顔を覗き込んだ。「最近社食で会わないけど、ここでお昼食べてるの？」

「えぇ」

「どうして？」

弁当へ目を落とした。「このところ涼しいし、外の空気に触れたほうが、気持ちがスッキリしますから」

「そんだけ？」

「えっ？」

「いや、なんとなく元気がないから。ほかに理由があるのかと思って」隣に腰掛けた。「ちょっと。このベンチ、結構冷たいわね」

「ええ」

「Aチーム、どお？」

濁った声で答えた。「売れてません」

「そっか。今月の作戦は？」

「作戦？」

「そう。このまんまだったら、ずっとミニモニに負けるのよ。なにかやらなきゃ。Aチームに賭けてるんだから」

「は？」

「いいの、こっちの話。で、どうすんの？　これから」

「あぁ。なんか、ちょっと」パスタをフォークに絡《から》めた。「もう、どうでもいいって感じなんですよね」

「はぁ？　それ、リーダーとして無責任じゃない？」

野村は黙ってパスタを口に入れた。

「ゼロになんなさい。その賢い頭使って、全然ダメだったんでしょ。だったら柔らかい頭の人に聞いて歩きなさい。だいたいなんで自分だけ社食で指揮とってんのよ。一緒にジャガイモの皮を剝《む》きなさいよ。ニンジンを切りなさいよ。管理者っていうのはね、すべてをわかってる人しかできないの。わかってないなら、教わりながらすべての仕事をしてみなさいよ」

野村がむっとした表情を見せた。

えっと、こういうときの一つ下の気持ちは――馬鹿野郎。もう一つ下は――苦境はチャンスでもあるんだから、頑張りなさい、かな？　すず子さん、結構面倒です。

「人に教わるの、そんなに嫌？」泰子は尋ねた。

「別に」

「教わることは屈辱じゃないわよ。言っとくけど、県庁さんに部分的に劣っている人でもね、素晴らしい能力をもってる人はたくさんいるんだからね」

パスタの容器をベンチに置き、ペットボトルに口をつけた。

「だから、頑張んなさいよ。空っぽになって、いろんな人から知恵を吸収させてもらってさ。できるわよ。阪神だって優勝したことあるんだから」

野村は地面を突つき回っている鳩へ視線を向けたまま表情を変えない。

こいつ、ダメかもな。Aチームに一万円も賭けるんじゃなかった。

泰子はもっそりと立ち上がった。「ま、好きにすればいいわ」社務所へ向かった。

＊

店長室に呼び出された。呼び出されたまま、もう五分も待たされている。

本橋は貧乏揺すりをしながらずっと電話で話している。しびれを切らした泰子が立ち上がる気配を見せると、本橋は右手を挙げて待っていろと制した。

退屈で、壁に貼られた社訓や社是を何度も読んだ。

電話の相手は恐らく本部だろう。本橋が馬鹿ていねいな言葉遣いをしているからきっとそうだ。使い慣れていないから敬語は滅茶苦茶だ。頭の悪さを露呈している。

そっと本橋が受話器を置いた。黙って胸ポケットからタバコを取り出す。本橋の頭上に視線を動かした。白い紙に禁煙と書かれている。

「またやられちゃったよ」本橋が煙の合間に喋った。「必死でやってるっていうのにさ」

泰子は膝に乗せた掌を撫でた。やだっ、ガサガサだ。ハンドクリームを塗ってから来れば良かった。

「二宮さん、来年四月に新店長がやって来ます」不愉快そうに口元を歪《ゆが》めた。「あと六か月です。それまでにリストラ候補者のリストを用意しておいてください」

「新店長?」顔を上げた。「それ正式決定なんですか?」

「ええ。売上が倍増でもしない限り、本部から店長が来るそうです」不味《まず》そうにタバコを吸う。「誰がやったって同じだと思いますけどね。で、リストです。用意しておいてください」

「どうして私なんですか? 本橋さんがおやりになったらいいじゃないですか、店長代理なんですから」

「清水前店長からすでに指示が出てましたよね。そのときは五月中にリスト提出のはずでしたよね。ま、清水前店長のプライベートなごたごたがあってそのまんまになってましたが、今度はきっちり出していただきます。皆の働きぶりを知ってるの、二宮さんですからね。ほかに適任者いないでしょ。私はいろいろと仕事に追われてますので」右の人差し指で書類の端を撫でた。「お願いしますよ。いいですね? 人数は社員、パートを含めて二十人出しておいてください。その全員をクビにするわけじゃありません。私だってできることなら避けたいです。転職だって難しい人たちばかりでしょうからね。でもね、体制が変わるときこそ、リストラのチャンスなんです。新店長はなにもわかってないから、クビにされたんだってことで、納得しやすいでしょ。せめてもの情けですよ。よく知ってる人から言われるより、ショックが小さくて済みますからね。一応そういうことも考えてのことです」灰皿にタバコを直角に押し付けて火を消した。「新店長に二十人のリストを見せて、上位から順に退職していただくことになります。五人で済むのか十人になるかは新店長次第です。私からは以上です」

泰子はため息をついて、背中を向けた。

ドアを開けて振り返ると、本橋が受話器を上げているところだった。あんたが第一位かもな。心のなかで呟き、勢い良くドアを閉めた。

県 庁 の 星

Chapter

3

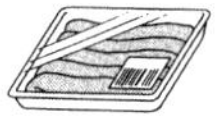

1

二宮に連れられ、H駅から電車に乗った。二十分ほど電車に揺られO駅に降り立った。O市は、H市から見て西に位置する県内二番目の都市だ。改札を出た二宮は人の流れを避けるように、左にずれてから立ち止まった。聡は隣に立った。

「なに感じる？」聡を見上げた。

「感じる？」

「そう」

「昼間なのに結構混んでるなってことぐらいですね」

「よくできました。どうしてだと思う？」

「ええ？　そんなことはわかりませんよ。人それぞれでしょう」

昼の端を上げた。「頭使ってよ。今、火曜日の午後三時半でしょ。ほら、年格好見て。年齢はバラバラでしょ。で、あれ」顎《あご》で改札正面にある柱を指した。「地図の掲示板を眺めてる人が多いでしょ」

「あぁ……確か近くに病院がありましたね」

「またまたよくできました。他の可能性は？」

人の流れを目で追った。人は改札を出ると左の西口、右の東口の二手に分かれる。右の東口へ行く人の多くが女性だと気付いた。

「デパート、ですか？」

「正解。じゃ、行ってみよう」

二宮はAチームに必要なのは市場調査だと言い、聡を連れ出した。

二宮はいつもパッツンパッツンの制服を着ているが、私服も同様に窮屈そうだった。

駅とデパートを結ぶ通路を進んだ。左右の窓からは十月の穏やかな陽が差し込んでいた。

デパートの二階のフロアに到達すると、二宮はきょろきょろあたりを窺《うかが》い、口の横に掌《てのひら》を当てた。

「あの人にしよう」

「あの人？」

「ほら、あそこで傘を見てる、紺色のツイードスーツを着てる人」

聡が目をやると、三十代半ばぐらいの女がモスキーノの傘を広げていた。華奢《きゃしゃ》な鎖骨をパールのネックレスで飾っていた。

「あの人が、なんです？」

「贈り物を選びに来たって感じじゃない？」

「そうですか？」

「私の読みだとね、上の階で贈答品を選んでから洋服を少し見て、一階のアクセサリー売場をぐるっと歩くな。最後に食料品売場に行って、今日の夕飯を買うと思うんだよね。さ、つけよう」

「つけるんですか？」

「そう。県庁さん、背が高いし、男で目立つから、注意してよね」

少し距離をあけて女の後を追った。女は館内案内板を見てからエスカレーターに乗った。

一つ前のステップに立っていた二宮が振り向いた。「ああいうの、タイプじゃないでしょ」

「は？」

「胸小さいから」

「なんですそれ」

「ナベちゃんが言ってたのよ。県庁さんは胸のでっかい女と付き合ってるって」

視線をツイードの女の背中に当てた。「もう別れました」

女は二宮の予想通り、七階の食器売場で花瓶を買い、送付手配を取った。五階でコサージュ付きの白いブラウスを買った後で一階を回遊した。

下りのエスカレーターで地下一階の食料品売場に着いた。

女が爪楊枝《つまようじ》で漬物を試食した。

「なんです、これ。なんで行動予測できたんです？」

左肩を少し上げた。「こんな時間に一人でデパートに来てるのは、そんなところだろうと思って」

「で、それがAチームの売上に関係すると？」

「そう」

「どうしてです？　あの人と弁当とどう繫《つな》がるんです？」

「うるっさいなぁ、もう」頭を激しく左右に振った。口紅に引っ付いた髪を乱暴にはらった。「客がなにを欲しがっているかを知るのが大事なの。それには客を観察するのが手っ取り早い方法なの。こういうのしたことある？」

「ありませんよ。人をつけたりなんて」

「それじゃ、どうやって県民のことを知るの？」

二宮を真っ直《す》ぐ見て答えた。「様々な数値がありますから」

「ええ」

ぎろっと睨《にら》んできた。「たしか起業家をサポートする仕事をしてたとか言ってたわよね」

「もしかして、そういうときも書類だけ見てんの？」

「そうですよ」

「人は見ないわけ？」

「人？」

「そうよ、人。あっ、移動する」

女の背中を追ってパン売場まで移動した。焼き上がりを待つ人の列が店をぐるっと囲んでいた。

聡を見上げた。「書類でなんでもわかると思っちゃってんじゃないでしょうね」

反論しようと口を開きかけたとき、二宮が一気にまくし立てた。

「慣例、前例って言うんでしょ。能力がないからじゃないの？　人を見る力がないから書類の数字を引っかき回してるんじゃないの？　責任取りたくないから、前回と同じことばっかりやりたがるんでしょ。責任取ったらいいじゃない。誰の顔色も窺わずに、自分の思い通りのことをして、きっちり責任取るって格好いいじゃない。今やってることに疑問もちなさい。まずはそこから」

三メートルほど先のワイン売場の前まで二宮は進んだ。

聡は追いつき、右隣に立った。

「女とちゃんと付き合えてる？」

「は？」

「人を見られないとさ、失敗するわよ。ま、それは私もなんだけどさ」

突然あいの顔が浮かんで心が揺れた。なぜ女の話になるんだ？　Ａチームの売上を上げるための市場調査だったはずじゃないか。女に騙《だま》されることとＡチームの弁当は関係ないだろう。トゲが刺さったような胸の痛みをどうしたらいいかわからず、左手で心臓のあたりを押さえた。

「あの人、二周目ね」二宮が二本指を立てた。

「えっ？　あぁ、そうですね」

「女はね、デパ地下を二周するのよ」

「それはあの人のことでしょう」

「違う。たいていの女がそう」

「なんでそう決めるんです？」

「決めてるんじゃない。そういうもんだから」

ジューススタンドの前からチーズ売場を抜け、ジャムの瓶が並ぶ棚の前に移動した。

二宮が聡を見上げた。「いつも行くスーパーなら、どこになにがあるか知ってる。一周するだけで無駄な動きはしない。たまに牛乳忘れたって戻ることはある。でもそういうときだけなのよ。デパートにはたまにしか来ないから、どこでなにが売られているかわからない。目にした物をすぐに買っちゃったら、後でやっぱりこっちのほうが良かったと後悔することになるでしょ。だから一回目はどこになにがあるかを覚えながら見るだけ。二回目で買っていく。二回目で決断できなくて迷ったものは、最後にその場所にだけもう一度行くの」

聡は二宮をしばらく見つめてから、女へ視線を送った。

女が財布から金を出しているところだった。

「やっぱり子どももいないみたいね」二宮が言った。

「それはロールキャベツを四個買ったからですか？　でも四人家族かもしれませんよ。一人一個です」

目を細めた。「三時半にデパートに来てるんだよ。あの年齢からいって、子どもがいたとしたらまだ小さいでしょ。子どもが学校から帰って来る前に家に戻ろうとしない？　働いてるなら別だけどさ。このデパートに入ってからあの人、一度も腕時計を見てないんだよ。時間を気にしなくていいのは、子どもがいなくて、旦那《だんな》の帰りが遅いからってことじゃないかなぁ」

聡は首を捻《ひね》った。

「人ってさ、こうやって見るとおもしろいでしょ。本や書類からじゃわからないこと、いっぱいあるでしょ。実際に目にしたほうがいろんなこと感じられるのよ。あの人、今日は一枚八百円もするヒレカツ買ったけど、いつもはスーパーで三百円ぐらいの買ってるんだから」

「どうしてです？」

「デパートでは特別なものを買うから。スーパーでは日常のものを買うの。どうしてって聞かないで。そういうもんだから。女はね、形のないものにお金を払う習性があるんだな。記念日とか店の雰囲気とか、そういうものにね」

H駅で二宮と別れ、商店街のクリーニング店でスーツの上がりを受け取った。店を出てゆっくり歩き出した。シャッターの下りた店の前には大量の自転車が止められている。左手にあるドラッグストアは商品を歩道にだいぶはみ出して並べていた。ここに並んでいるのは日常品か。

二宮はAチームが意識しなければいけないのは日常と特別な日の間だと言った。日常的な品物だとBチームに勝てない。特別な品ではデパートに負ける。この中間を狙えと言った。中間の商品とはなんだろう。

前後に子どもを乗せたママチャリがフラフラこっちへやって来たので、左によけて通過するのを待った。ふと、正面の肉屋に目がいった。今日も主婦らしき五人の客が並んでいる。そのうち二人の手には、スーパーのロゴ入りビニール袋があった。何気なく周囲の店を見回して、息を呑んだ。もしかしたらシャッターが目立つこの商店街で生き残っているのは——凄《すご》い店なのかもしれない。行列のできる店はいつも決まっていた。その人気は何によるのだろう。

コンビニの前を通り過ぎ、アパートへ向かった。いつものようにアパートの入口は、ラーメン店の行列に並ぶ人でふさがれていた。

最後尾に並んだ。

2

社員食堂で携帯が鳴った。電話に出た途端、本橋が猛スピードで喋《しゃべ》り出した。

「二宮さん、大至急三階に来てください。抜き打ちです。消防署から検査の人が来てます」

泰子が質問しかけたときには、すでに電話は切れていた。

なによ。抜き打ちに遭う度にキャンキャン鳴いて。あんたの仕事だろって。

カキフライ定食の皿を眺め、ため息をついて立ち上がった。カウンターにトレーを置いて、タッパーを借りる交渉をした。白米とキャベツを詰めているとき、また携帯が鳴った。うるっさいなぁ、座敷犬は。無視してキャベツの上にカキフライを乗せ、蓋《ふた》をした。

三階に行くと、裏階段の踊り場に本橋がいた。小形犬のように震えている。

泰子を見付けた本橋は、すぐさますり寄って来た。

「消火器や避難経路の確保などを点検にお見えになりました」

だから？

「今日、たった今、納品があったばかりでしょ。だからちょっと消火器の前に商品を積んでしまったんですよ。これからストックルームに移す予定だったんですがね、その前にこちらの方たちがいらっしゃったもんですから」

本橋は消防署員に聞こえるように、泰子に説明した。

ざまぁみろ。いい気味だ。泰子は何度も進言した。しかし誰も聞いてくれなかった。

署員が書類を見ながら尋ねた。「防火管理者の清水さんはどちらにいらっしゃいますか？　お仕事中恐縮ですが、こちらにお越しいただけないでしょうか」

本橋がしまったという顔をした。

管理者変更届けを出していないのだろう。年二回の避難訓練の直前に、慌てて消火器を探す店が、抜き打ち検査にパスするわけないっつうの。

本橋の携帯の着信音が明るく鳴り響いた。

携帯を耳に当てた本橋の顔色がどんどん悪くなっていくのを、泰子は見つめた。回虫でも腹に入ったか？

本橋がぐっと顔を近づけてきた。

泰子はのけぞって、本橋を睨んだ。

泰子のベストの第二ボタンあたりに向かって囁《ささや》いた。「い、一階に食品Gメンが来た」

「まさか」

「こっちは頼みます。なんとか無事に済ませてください。始末書でもなんでも書きますからって言って」

なんでよ。なんで私なのよ。「でも私、パートだし――」

「緊急事態に社員もパートもないでしょ。よろしく」落ちるように本橋が階段を降りて行った。

振り向くと、署員が探るような目つきで泰子を見ていた――最悪。

消防署と保健所から多くの問題点を指摘された。改善に向けての経過と管理システムの構築と運営について十月中に書類を提出するよう言われた。あの負け犬にできるだろうか。ま、やるしかないか、店長代理なんだし。Bチームが消費期限切れの食材を使っていることはバレずに済み、店舗名の公表と本部への勧告は免れることができた。書類提出後、抜き打ちの再査察に合格しなかった場合には店舗名が公表され、本部に通告されるという。もう一度チャンスがあると聞いた本橋は、安堵《あんど》のあまりお漏らしをしそうに見えた。

＊

自宅のリビングのソファに座り、洗濯物を畳んだ。学の靴下を畳むとき、親指のつま先部分の生地が薄くなっているのに気付いた。見なかったことにして、他の洗濯物のなかに紛れこませた。

「ただいま」

学が帰って来た。コンビニからなのか、介護施設からなのかはわからない。

「お帰り」

「オカラ食べる?」

「なに?」

「オカラって確か言ってたと思うんだけど」透明の袋を掲げた。「これ」

「あぁ、オカラね。どうしたの?」

「おばあちゃんから貰《もら》った」

「ビニール袋に入れて?」

「入れたのは僕。タッパーに入れたら、なにか詰めて返さなきゃならないだろ。だからビニール袋に入れて貰ってきた」

「あっ」

社食にカキフライを忘れてきた。あぁ、もったいない。あのポチのせいで昼食を摂《と》り損ねたんだった。

「なに?」学が不思議そうにしている。

「いや、なんでもない。カキフライ定食を食べてた途中で呼び出されてね。後で食べようとタッパーに詰めて、社食の冷蔵庫に置かせてもらったのを、すっかり忘れてたのよ。それを今思い出したの」

「タッパーつながりか」

「そう」

泰子はオカラを小皿にあけ、惣菜《そうざい》をテーブルに並べた。蓋には百円引きや五十円引きのシールが貼られている。

学がダイニングテーブルについた。

泰子が白米を茶碗によそい、学の前に出した。

「いただきます」

「貯金はできてるの？」泰子が尋ねた。

「すぐにはできないよ。コツコツ貯めるよ」

自分の茶碗に白米を大量に盛って座った。「ホームヘルパーって儲かるの？」

「ん～、普通。特別儲かる仕事じゃない。でも遣《や》り甲斐《がい》がある」

「へぇ」

肉じゃがのトロミが固まっている。肉じゃがの容器と合う蓋を探して、レンジに入れた。カニサラダに口をつけた。

「厚揚げもチンする？」泰子が聞いた。

「あぁ、うん」

「ちょっと待って」

座ったまま身体を捻って後ろを向き、デジタルの数字が減っていくのを見つめた。チンと鳴ると同時に扉を開け、肉じゃがと厚揚げのあんかけを入れ替えた。シールが真っ黒になっていた。

「あら、温め過ぎちゃった」泰子が言った。

「どうしたの？」

「えっ？」

「ヘルパーの仕事のこと。そんなものとか、くだらないとか言わないんだね、今日は」

「あぁ……そうね。食べるのに夢中だった」

学が鼻に皺《しわ》を寄せて笑った。

子どもの頃から学は鼻に縦皺を寄せて笑う。その皺を突ついてさらに笑わせたことも——最近は見なかったな。

「母さんが食事してるとき」傾けた茶碗で顔が隠れた。「ちょっと男らしくていいと思うよ」

「えっ？　なんて？　男らしい？」

「そう。真剣勝負だぐらいの勢いがある」

「本当に？　やだな、それ。昔から？」

「どうかな？　この間ファミレスでもそう思った」

「あのときは本当にお腹が空いててね。ほっとしたからだと思うけど。でもあの日、普通に夕飯は食べてたのよね」

「じゃ、これからはなるべく食事中に話すようにするよ」

「どんなこと？」

「わかんないけど」

「なによ、それ」

レンジがチンとなった。

泰子は勢い良く振り返った。さっきより動きが軽やかだった。

食後にリビングの棚からノートを引っ張り出した。グレーの表紙にはコーヒーのシミがついている。またこのノートを手にするなんて。もう二度とあんな思いはしたくなかったのに。

野球中継のボリュームを少し落とし、ため息をついてからノートを広げた。汚い字。強い筆圧の右上がりの字。ヤクザが肩で風を切っているようだと、元夫にからかわれたことがあった。大きなお世話だってぇの。自分はどれだけ上手《うま》いっていうのさ。車に轢《ひ》かれたカエルのような字を書いてたくせに。あぁ、なんであんな男のことを思い出すかね。

ノートを捲《めく》ると、スーパーの同僚たちの名前が目に飛び込んできた。

二年前、リストラ候補者のリストを提出するよう言われた。なにを基準に選ぶべきなのかわからなかった。悩んだ挙句、生まれてはじめて胃を悪くした。

左ページに入社年順に名前が並ぶ。右ページには個人的な情報を書いた。子どもが生まれたばかり。離婚した。旦那が入院中――。書き出した結果、全員にクビになりたくない事情があることがわかった。すっかりラビリンス。いっそのことあみだくじにしたらどうかと清水に言ったら、笑われた。

ノートに名前を書きはじめてから三か月後に、十二名の候補者を挙げた。全員がパートだった。基準は再就職できそうかどうかだった。若いか、美人であれば再就職できる可能性は高くなると考えた。

清水にリストを提出したときのことは、今でもはっきり覚えている。候補者の名前を記載したルーズリーフを差し出したとき、耳鳴りがしていた。ぼぉぉんと鈍い音が右耳の奥から響いてきた。あまりにも大きな音だったので、清水にも聞こえているのではないかと思ったほどだった。それから一か月、耳鳴りは続いた。リストラされることになったスタッフと、喫茶店や社食で話をした。涙を流す者も、怒りを見せる者もいた。次の就職先が見つかるよう、一緒にハローワークに行ったこともあった。全員が新しいスタートを切れたのは、リストを提出してから四か月後だった。その日に、耳鳴りはピタリとやんだ。あの辛い思いをまたするのか——憂鬱《ゆううつ》。

風呂から上がった学が冷蔵庫の扉を開けた。

「ね、お茶淹《い》れてよ」学に声を掛けた。

「あぁ」ポットが置かれているワゴンへ行きかけながら言った。「またリストラなの？」

「えっ？」

「そのノート出してるから」

「あぁ。そう。また嫌なことやらなきゃなんない」

ノートを目の前のテーブルに放り、テレビのボリュームを上げた。嫌いなチームが今夜で優勝を決めようとしていた。セ・リーグの構造改革をして欲しいもんだ。

ダイニングテーブルへ視線を向けた。えっ？　湯呑《ゆのみ》の湯を急須に淹れている。湯呑を温めてから淹れるの、どこで習ったんだ？

学が泰子の湯呑をテーブルに置いた。「そのノート、見てもいい？」

「えっ？　なんで？　スーパーのリストラに興味あるの？」

「うん。どうやって人の人生を決めるのか、興味ある」

「へんなの。どうぞ」

缶ビールを一口飲んでから、ノートをパラパラ捲った。

「こんなんでいいの？」

「なに？」

「家庭の事情しか書いてない。仕事がどれだけできるかってことは書いてないね」

「あぁ……」

そんなこと——ちょっとは考えた。でも大差なかったから、家庭の事情を一番に考えたのだ。

「これなの？」

「なにが？」

「これが母さんの胃を悪くさせた、リストラのときのノート？　もっと——能率が悪いとか、やる気がないとか——こんなこともできないって、否定的なことがびっしり書かれているのかと思った」

「なんで？」

「そういう基準で人を見てると思ってたから」

「そんなことないわよ。レジでもたついても、お客さんから人気のある人もいるし。ディスプレーのセンスがなくても、どこになにが並んでいるかびしっと頭に入っている子もいるしね」

「へぇ。いろんな面を見てるんだ。意外だな」

なにも知らないくせに、なにが意外よ。一緒に暮らしている母親のことぐらい、ちゃんとわかってなさいよね。

学が尋ねた。「ノートの隅に書かれてるスローガンはなに？」

「スローガン？」

ノートを覗《のぞ》き込み、学の指先に視線を当てた。ちょっと、マジで？　傷つくなぁ。

「それ、俳句の下書き」

「あぁ……いやぁ、よく俳句を知らないからだよ」激しく瞬《まばた》きをした。「わかる人が読めば、きっと凄い句なんだよね」

「誰からも票は入らなかった」

「そ、そういうこともあるよ」うろたえたのか、声がぶれた。「芸術作品に点を付けるって難しいし。生きてるうちはまったく評価されなかった人が、死んでから人気が出たりするんでしょ」

「まだ死にたくない」

「わかってるよ。言いたいことはさ、へこむことはないってことだよ。ね」

もしかして励まされてんの？　くぅ～。辛いなぁ。

「今度もそうするの？」

「えっ？」

「家庭の事情でクビにする人を決めるの？」

「どおかな？」湯呑を見つめた。「わかんないわ」

「またクビにした人の再就職まで面倒見るの？」

「だって……はい、さよならってわけにはいかないじゃない」

「母さんのそういう」照れたようにテレビに顔を向けた。「面倒見のいいところとかさ、情のあるところ、いいと思うよ」

へ？

＊

「それでさ、作戦会議したいんだけど」

「作戦会議？」

「そう」

「なんのですか？」

「県庁さんの出番だと思うのよね」

「はい？」

「先月の査察で出すように言われた書類を、本橋さんが作ったんだけど、二週間後に突っ返されたんだって。消防署からも保健所からも」

「へぇ」

「書類って大事らしいじゃない、ああいう官公庁さんはさ」

「大事ですね」

「県庁さんは、そういう書類作るの毎日やってたんでしょ」

「どういう書類なのかわからないので、なんとも――」

「本橋さんよりは慣れてるでしょ。それにほら、受け取るほうにいたわけだから、どうしたら役人が気に入るかってのもよっく知ってるよね」

不審げな表情を浮かべた。「本橋さんよりは――まぁ、そうですね」

「よし。なら、ちょっと手伝ってよ」

「なにをです？」

「だから、十一月中に書き直したものをまた提出しなくちゃいけないのよ。提出書類がこれでいいか、アドバイスをしてよ。で、ついでに改革の手伝いをしてくれてもいいのよ」

「ついでに改革？」

「チャンスなのよ。本橋さんは参ってる。書類は受けとってもらえないし、再査察をどう乗り切ればいいのかもわからなくて。こんなときしかないと思わない？　店を改革するのは。今なら県庁さんが提案したものはすべて採用される。衛生管理や品出しや、シフトの問題点もね」

「そぉですかね？　随分前に出したレポートを、本橋さんはまだ一ページも読んでないと思いますよ」

「今まではね。でも今は違う」頬《ほお》が火照《ほて》るのを感じた。顔が赤くなってなければいいが。「切羽詰まってるもの。四月には本部から新店長がやって来るのよ。その前に成功させたいって必死なはず。ほら、県庁さんだって、自分が研修している店が、査察をパスできないっていうのはまずいでしょ」

「それは……まぁ」

「食品表示だって今なら正しくできる。Ａチームだけじゃなくてね」

俯《うつむ》いた。

「二つに分けたままでいいと思うのよ、惣菜は。ブランドが違うんだからね。同じ調理室から出て来るのより、全然説得力あるから」

「はぁ」

「県庁さんがこれから取り組むのは、消防署と保健所への提出書類の手伝いと、Ａチームの売上倍増計画ね。まず第一関門は、在庫管理だよね」

「以前提出した書類にも書きましたように、在庫管理者と品出し担当者を同一人物に専任させる案が一番現実的かと思います」

「全然現実的じゃない。誰にさせんのよ？」

「それは……どうしますかね」

具体性のない書類作んじゃねぇよ。「そこまで考えたもん出してよ。それから店内のことで言うと、ポップ担当者を専任で一人作りたいんだよね。各フロアに一人ずつ」

「ポップですか？」

「そう」

「今の価格表示だけではなく？」

「そう。今は手書きのポップは本部から禁止されているの。ディスカウント店みたいになるからダメだって。ってことは、きれいなポップだったらいいわけよね」

「それになにを書くんですか？」

「たとえば——綿棒が欲しいとするでしょ。三種類並んでるのよ。一つは百五十本入りで四百円。一つは百二十本入りで三百八十円。一つは八十本入りで二百二十円。一本当たりの値段はいくらなのか、計算たいへんでしょ。県庁さんはすぐにぴぴっとわかるかもしれないけど、私は無理。どれが得なんだかわかんないのよ。だから一本当たりの価格も表記したいのね。それからその三種類の違いを一言で表現したいのよ。綿棒ならヘッドが小さいとか、一本ずつ取り出しやすいとかね。パッケージには記載されてるわよ、メーカーのうたい文句がね。でもさ、それは売り込み言葉の羅列なのよ。そんなの全部読んでらんないでしょ。店に並んでいるのが三種類だとしたら、その三種類の違いが一言で書かれてたら選びやすいじゃない」

「はぁ。まぁ、確かに。しかし全商品をとなると、相当たいへんですよね」

「それほどでもないと思う」

「そうなんですか？」

「だって主婦なんて実際に使っているわけだから。感じていることを言葉にするだけなんだもの。メーカーからクレームが出ないように、否定的なことは書かないようにする。いい点を一つだけ書くの」

「なるほど」

「ラストチャンスだと思うのよね」

今しかない。店が変われるのは。目の前にいる異国人の得意なことははっきりしている。こいつを利用しない手はない。

3

ワイシャツの袖をまくりながら二階のストックルームに入った。

誰もいなかった。

二宮の提案を受けて一週間、方針が決まり昨日は三階のストックルームの整理をした。渡辺を含めて五人の男性従業員と共にスチールラックを組み立て、在庫を並べた。一日ぶっ通しの肉体労働で、身体中の筋肉が悲鳴を上げていた。

「おはよう。昨日はお疲れ様。身体痛いんじゃない？」

振り返ると、二宮が入口に立っていた。

「腰が少し。でも大丈夫です」

「そう。若いのね。哀しいお知らせがあるんだけど」

「なんです？」

「本日の作業予定者五名のうち、出勤したのは県庁さんだけなんだ」

「えっ？」

「ほかの人はね、体調不良だって。一人だけ親戚に不幸があったって言い訳使ったのがいたわ。本橋さんの手でも借りる？　猫よりはましかもよ」

一つ息を吐いてから言った。「なんとかやりますよ。今日中には終わりそうもありませんけど」

「そう？　根性なしのあいつら、私が叩《たた》きのめしてやるから待ってて」

ポールを段ボール箱から引っ張り出した。

「三階のストックルームはバッチリね。すっごく見やすいし、使いやすいって、女の子たちが感謝してたわよ。県庁さんのお陰だわ」

「あれのもとは、二宮さんのアイデアじゃないですか。僕が出した収納案は二宮さんに二秒で却下されましたよ」

「だって商品の大きさ順に並べるだの、メーカー別に並べるだの言うんだもの」

「なってませんでしたね」

「え？」

「二宮さんの指摘通り、視点が違ってました」

目を大きく見開いた。「あのさ」小声になった。「落ちてるモンでも拾って食べた？」

「は？」

「いやぁ……お腹を壊してるんじゃなければいいんだけどね」

「少し筋肉痛なだけですよ」

「そう。じゃ、あとよろしく」

*

息を殺して客の手の動きを見つめた。客の手がBチームのきんぴらで止まった。両手に取り、パックの蓋を眺めている。聡は惣菜調理室から、ケース前で悩む客の姿を追っていた。

「ケンチョウさん、顔怖いですよ」

振り返ると、金が脇に新聞を挟んで立っていた。

「怖い顔で見てたら、お客さん逃げちゃいますね」

はっとして肩の力を抜いた。そのとき、客が祝い膳弁当を籠《かご》に入れた。あっ。この感覚は――なんだろう。ほっとして、それから嬉しさが染みてくる。

ちょっといいことがあった日に選んでもらおうと、昨日から赤飯を使った祝い膳弁当を売り出した。十一月十五日時点でのAチームの売上はBチームの半分にも達していなかった。この苦境を打破する新メニューとして考えたのが、祝い膳弁当だった。花の形の抜き型で飾った赤飯を、弁当容器に入れ、鯛《たい》の切り身の塩焼きやサーモンサラダのほかにミニ茶碗蒸しを付けた。千五百円の祝い膳弁当は昨日三十個売れた。今日は五十個作り、すでに残りが五個になっていた。金の提案で、花形にした赤飯のお握りの単品を大三百円、小二百円で今日から売りはじめた。開店から六時間経《た》った午後四時現在までに四十個が売れた。

「祝い膳、すごいアイデアね。頭いい人、違うね」笑顔で金が言った。

「アパートの隣にラーメン屋があるんです。いつも行列ができてる人気店なんです」窓ガラスに背を向け、お握りの抜き型を作業台に並べた。「三十分近くも待って、ようやく入った店で、ニラソバを頼んだんです。その時後ろのテーブル席にいた家族連れが、店主に話してるのが聞こえてきたんです。子どもが算数で百点を取ったから、今日はマンゴープリンを注文するって」顔を上げた。「日常と特別な日の間って、こういうことかなって、閃《ひらめ》いたんです」

金が不思議そうな顔で聡を見つめた。

「二宮さんからアドバイスを受けてたんですよ。このパッケージも」作業台の右端に積まれた祝い膳弁当の容器を指差した。「これは、女は雰囲気に金を払うという二宮さんの考えを具現化したものなんです」

「なに？」

容器を両手で持ち、そっと撫でた。「横長の二段式のものにして、中身が見えない蓋にしたのも、高級感を出すためなんです。丸箸にして、金色の縁取りの和紙を被《かぶ》せて赤い紐で十字に縛りますよね。手間がかかるとは思ったんですけど、やっぱり、こういうの大事なのかなと思いまして」

「そう、大事かもね」

聡はしっかりと頷《うなず》いた。

4

古賀有紀《こがゆき》が泰子にトイレの芳香剤を差し出した。「これでいいですか？」

「ん？　ありがと」

「県庁さん、一人で在庫整理してましたよ」

「そう」

「査察のためですか？」

「そう。それに店のためね」

「他の人はどうしたんですか？　先週は結構いましたよね」

「足の小指が痛いとか、左手のほくろが痛いとか言ってね。手伝う気、ないみたい」

「それで一人でやってるんですか。なんかちょっと可哀想ですよね」

「そうね。店のために頑張ってくれてるのにね、嫌な仕事を」

「本当に」頷いた。「なんか面倒なことばかり言う人かと思ってましたけど――ああいう汚い仕事もやるんですね、県庁さんも」

「そうね」

泰子は次の従業員を探した。レジでぼんやりしている林直美《はやしなおみ》を見付けた。

「直美さん、悪いんだけどストックルーム行ってくれない？　ゴミ袋の在庫補充して欲しいんだ」

「はい」

直美の後ろ姿を見送った。女たちにはこの作戦でいい。野村が黙々と働いているところを見せてやればいい。問題は野郎たちだな。

＊

「ナベちゃん、おはよう」声を掛けた。

「おはようございます」

「どう、具合は？」

「はい、だいぶ良くなりました。ストックルーム整理を手伝えなくってすみませんでした」

「体調が悪かったんだからしょうがないわよ」

二階のドラッグショップ前で朝礼がはじまった。脚立《きゃたつ》に上った本橋がマイクを使って今日の売上目標を話している。

渡辺の横に立った泰子は、前方へ顔を向けたまま囁いた。「憂鬱だな。本当困っちゃう」

「どうしたんです？」渡辺が愛想良く尋ねてきた。

「本橋さんからリストラ候補者のリストを出せって言われてて——そんなことできないって断ったんだけどね」弱った声を出してみせた。「それじゃあみだくじで決めるって脅すのよ」

「えっ？　またリストラがあるんですか？」

「そう。四月に新店長が赴任したらすぐね。だから今のうちに出せっていうのよ。困っちゃって。だって皆店に必要な人たちだもの。頑張ってるじゃない、皆」

本橋の声が一段大きくなった。「いらっしゃいませ」

スタッフたちが一斉に頭を下げた。「いらっしゃいませ」

泰子もそれに倣《なら》った。

「ありがとうございました」スピーカーから聞こえる本橋の声が割れた。

泰子が頭を下げる。「ありがとうございました」

「申し訳ございません」

「申し訳ございません」

5

「いいですか、視点を変えてください」聡は辛抱《しんぼう》強く言った。「これじゃあ絶対に通りませんよ。役人にやる気や努力をアピールする必要はありませんから。作文じゃありませんからね、余計なことを書く必要はないんです」

本橋は目玉を激しく左右に動かし、すがるように聡を見つめた。

聡は店長室で本橋が作った書類の点検をしていた。専門外とはいえ、この書類を公的機関が受理するとは百パーセント思えなかった。

本橋はため息をついて、タバコに火をつけた。「苛《いじ》めのようなもんですよね。なんだって山のような書類が必要なんです？　完璧《かんぺき》な書類があるかより、いざという時、いかに怪我人を出さずに被害を小さくできるかの行動のほうが、大事なはずでしょう」

「そういうもんです」

「あっちの担当者が変わったんですよ」強くタバコを吸った。「なのに同じこと言うんで、びっくりしましたよ」

「同じこと？」

「ええ」口の端を上げて笑った。「人が変わったのに、言うことがまったく同じなんです。双子でもないのにですよ」首の後ろを掻《か》いた。「ロボットにでもやらせればいいと思いませんか？　同じこと言って、こっちの事情は斟酌《しんしゃく》しないっていうなら、ロボットでいいでしょ。役人ロボットっておもしろいと思いませんか？」身を乗り出した。「口のなかに書類入れて、しばらく待ってると、受理できません、受理できませんって書類を吐き出しちゃうロボット」

すぅっと音をさせてタバコを吸い、天井へ視線を向けた。

空白の時間が過ぎた。

本橋が背もたれに身体を預けた。「こういうの、誰のために必要なんです？」顎で書類を指した。

「誰のためって——役所が必要なんですよ。なにかあったときにですね、役所はなにをやってたんだってことになります。責任はすべて店側にあって、役所は悪くないと思われるようにしておかないと困るんですよ」

本橋がふぅっと息を吐き出すと、鼻の穴から白い煙が出てきた。

書類を本橋側に向けて机に置いた。「理屈とか、根拠とか、現場は違うんだとか、そういう難しいことを考えちゃダメです。これがなんの役に立つかって言えば」言葉を切った。

「なんの役にも立たないんですから」

聡は自分の言葉に驚いた。

本橋は聡の動揺には気付かぬようで二本目のタバコに火をつけ、書類を見つめた。

本橋が書類上の聡の赤字を指でなぞった。「このせいで店の仕事、完全にストップですよ」

はっとして腕時計に目をやった。「僕、もういいですかね。十八時上がりの弁当の準備をはじめなきゃいけないので」

＊

人気のメンチカツ弁当を買うため、出勤途中に商店街の肉屋の行列に並んだ。すでに並んでいた五人の女性客の後ろについた。今日はベージュのタートルセーターにジーンズを合わせていた。もう一枚羽織って来るべきだったと後悔した。

十一月に入った途端、Y県は寒波に包まれた。今年の冬は寒くなりそうだと、昨夜見たテレビの天気予報で言っていた。寒いとなにが売れるのだろう。

耳を澄ますと、山下達郎の『クリスマス・イブ』が天井付近から聞こえてきた。顔を上げて、早過ぎるだろうと、心のなかでつっこんだ。

メンチカツ弁当と鶏の唐揚げを買ったら、フランクフルトを一本サービスしてくれた。肉だらけの昼食になりそうだ。この一か月いろいろな店のメニューを試食しているため、腹の周りと顎の下が気になってきていた。

サンロード商店街の店の様子をチェックしながらゆっくり進む。八百屋の店主と目が合ったので、小さく頭を下げた。店の前を行き過ぎるとき、店主が焼き芋を買った客に二百万円だと告げる声が聞こえてきた。

保健所の査察を控えて、店は三日前からBチームに廃棄食材の使用を禁じた。このためAB両チームが同素材を使用するガチンコ勝負になった。これで勝てると思ったが、単価が上がってもBチームのほうが報奨金対象上位十点の売上合計金額は多かった。

左手に見えてきたコンビニの店頭では十代と思われる男女が座り込み、肉まんを食べている。売れるメニューとはなんだろう。味の好みは千差万別だ。出身地や親の影響も受けるし、年齢や個人的な好みの違いもある。丼物にマヨネーズや、シチューにイチゴジャムをかける人もいたぐらいだ。苦い思いが胸に溢《あふ》れてきて、慌てて正面に視線を向けた。


調理室の作業テーブルには二十種類の生春巻きと、十種類のソースが用意された。

ドアが開いて二宮が顔を出した。「あら、試食会？　忙しいところ悪いんだけど、県庁さんにお願いがあるのよね」

じろっと二宮を見た。「なんです？」

「そんな怖い顔しないでよ」金に勧められ、丸い椅子に腰掛けた。「県庁さんのお陰で、ストックルームはとっても使いやすくなったのよ。男どもも最近はよく手伝ってくれるようになってね。ま、リストラに遭いたくないからなんだろうけど。でね、そっちは片付いたんだけど、まだどうにもならないのがあって。保健所に出すほうの書類なんだけど、締切まであと十日しかないのに、本橋さん、お手上げみたいでね。協力してあげて欲しいの」

「そんなことなら全然構いませんよ。今までだってアドバイスしてきましたし」

「今まではアドバイスだったでしょ」ステンレステーブル上のゴミをはらった。

「え？　アドバイスじゃないんですか？　まさか僕にその書類を作れと？」

「作る、とまでは言わないんだけど」一瞬唇を尖《とが》らせた。「下書きぐらいのものを作ってくれると本橋さんの目玉ももう少し一か所に留まると思ってね」

「嫌ですよ」大声を上げた。「無理ですって。僕Aチームで勝ちたいんですよ。あともう少しなんです。毎日の売上作って、新商品の開発して、そのうえ保健所への書類作るなんてどう考えたってできないですよ。今だって全然時間足りないんですから。あっ、やめてくださいよ、僕を異動させるの」

「そう、だよね」肩を落とした。

調理室内の空気が一気に固くなった。

「俺たちでできること、あるから」突然、陳が言った。

全員が陳を見た。

「俺たちがやるから、ケンチョウさんはそっち行けばいい」

聡は呆気《あっけ》に取られて陳を見つめた。

金がテーブルに両手をついて身体を乗り出した。「陳さん、言葉足りない。いつもそう。陳さんが言いたいのは、残りの三人で頑張るから、ケンチョウさんは本橋さんを手伝ってあげてください、ということですね」

陳はびっくりしたように目を見張った後、きまり悪そうに顔を顰《しか》めた。「頑張れってことだ」怒ったように言った。

ルブカが親指を立て、オッケーと言った。

＊

渡辺と病院の廊下を歩いた。二号館から外に出たほうが近道なのだと渡辺が言った。

店で転倒した老女を背負って、近くの病院に来た。幸い骨に異常はなく、腕の打撲だけで済んだ。老女の長女が病院に到着したので、引き渡し、店に戻ろうとしていた。渡辺は知り合いらしき美人看護師と軽口を交わし、食事に誘ったが断られていた。

たいしてがっかりした様子も見せず、言った。「菜々子《ななこ》ちゃんは年下の彼と別れたばっかりだから、ナベちゃんが慰めてあげようと思ったのにな」大きな歩幅で進んだ。「そういえば、あれどうだったの？」

「なんです？」

「消防署に出した書類って——あぁ、ダメだったのね。そんな、目、三角にしなくたっていいじゃないよ」

「あの人たちは本末転倒してますよ」

「さすが。インテリは難しい言葉知ってんだね」

「なんのために法律があるのかってことですよ。人を守るためでしょ。なのに法律や規則ありきなんですから。規定をクリアするために人が不便を被《こうむ》っても構わないんですよ、彼らは」

渡辺がニヤニヤして聡を斜めに見た。

「なんですか？」

「いや、別に」髪をかきあげた。

エレベーターのボタンを押し、ドアが開くのを待った。すぐにチンと音がしてドアが開いた。

車椅子に乗った子どもが滑らかに出てきた。「ナベちゃん」

「おぉ、大《だい》か。リハビリちゃんとやってるか？」

「やってるよ。ね、本読んでよ」

「今日はダメなんだ。仕事中なんだよ」

「仕事中でもいつも本読んでくれるじゃん」

「うるさい」指を揃えて口の横に当てた。「お店の人と一緒なの。だからダメ。また今度な」

「つまんない」

「うるさい。またな」

一階に降り、中庭に出るとすぐに渡辺がタバコに火をつけた。

「渡辺さん、仕事中によく姿消してるのって、もしかしてこの病院に来てたんですか？」

「たまにね。ごくごくたまに、一度か二度来たことがあんのよ」

「姿消す人、多いですよね、あの店には」

「そお？」驚いたように目をパチパチさせた後、顔を輝かせた。「陳さんとルブカのこと？」

「そうですね」

「さぼってんじゃないよ、あの二人は。いや、俺もだけどね」早口で言った。「あの二人は駅向こうのスーパーや人気のある店へ行って研究してるらしいよ」

「え？　そうなんですか？」

「なんだ、県庁さん、知らなかったんだ」

赤信号にぶつかり、歩みを止めた。

聡はショートブルゾンのポケットに両手を入れた。そのとき、自分の足先が視界に入った。急いで店を出たので、履き替えずに出てきてしまった。じっと白い長靴を見つめ続けた。不思議なことに、嫌な感じはしなかった。

渡辺が言った。「最初はさ、客だったんだよね。自転車買いに来た子でさぁ、二個補助輪つけたの。練習したから一個外してくれって持って来て。そのうち裏の駐車場で乗り方を教えるようになって」歩きはじめた。「その子が来週入院するって言うんだよ。手術が怖いって言い出すからさ、自転車に乗れたんだから手術なんてちょろいって、無茶苦茶なこと言って励ましてさ。気がついたらあそこに見舞いに行くようになっちゃって。本を読んでやったんだよね。俺、結構上手いのよ。怪獣や動物のセリフ、声変えてやるからね。そしたらさ、隣の病室の子も来るようになってさ。こいつは聞いてもいいけど、お前はダメって言えないだろ。で、いつのまにやらナベちゃん大人気よ。女からだけじゃないんだよね」

「それがさっきの？」

「違う」ポケットから出した携帯灰皿にタバコを仕舞《しま》った。「今頃は天国で自転車乗りまわしてんじゃないかな。なに、その顔。難しい数学を解いてるみたいな顔だよ」

「なんか意外で。そういえば、店でも渡辺さんは子どもと仲良くしてましたね。いつも三階でちょろちょろしてる子も、ここで？」

「陸《りく》のこと？　あいつは違う。家に帰っても誰もいないから、店で時間潰《つぶ》ししてんだ」

「へぇ」

「あいつ、県庁さんのこと、応援してるみたいだよ」

「え？」

「まだ値段がAチームだけ高かった頃から、買うのはいつも黒い容器のほうだったから」

「なんででしょう」

「さぁ。あいつ結構金持ちなんだよ。親から金は渡されてっから。人ってそれぞれの事情を抱えてるもんなんだよね。今日を楽しく生きなきゃって教わったの、あの子たちからなんだよね」病院を振り返った。「死ってさ、凄く身近にあるんだよ。俺たちギリギリのところで生きてんだよ。気付かないだけでね。明日死ぬかもしれないなら、今日とことん楽しんでおかなきゃってね。ナベちゃんの哲学はこの病院で育《はぐく》まれたんだ」

＊

一階裏の駐車場のベンチで肩を落とした。

保健所へ再提出する書類の草稿をしようと思って、はたと気付いた。惣菜以外の加工室や売場のことをなにも知らなかった。これではまずいと考え、まずは鮮魚担当に短期間修業をさせてもらいたいと願い出た。修業三日目にして、水仕事による冷えと力仕事で腰は錘《おもり》をつけたようになっていた。

タバコの煙に気がついた。

高橋が隣に座っていた。「腰痛いだろ」

「はい」

「皆そうだ」

「はい。あの、すっかりご迷惑をおかけしてしまって――申し訳ありません」

親指と人差し指で摘《つま》んだタバコを強く吸い、ゆっくり煙を吐いた。「本当だ」

うな垂れた。

「今朝、何匹だめにした？」

「どうしてそれを？」

魚を上手に三枚におろせず、今朝、高橋より早く出社し、昨日の売れ残りを使って練習したのだ。

「ゴミ箱を見ればわかる」横目で聡を見た。

「そう、ですよね。すみません。でも今日入荷した魚じゃないですよ、昨日の売れ残り分です」

「思い切り」

「はい？」

「ためらうから、何度も刃が当たってギザギザになるんだ」

「はい」

「すっと入れて一気にだ」捌《さば》く真似《まね》をした。

「はい」

「よそじゃ工場でパック詰めしたものを運んで来て売る。だけどうちじゃそれはやらない。わざわざここで捌く。魚は新鮮さが一番だからだ。だから捌いてすぐ売る。味が全然違うんだ」

「はい」

「保存温度にも注意してる。鮮度を保つためにだ」

「はい」

「それをギザギザにされちゃ、元も子もない」

「はい」

目をキラキラさせた。「今日はまぐろを解体してみっか？」

狼狽《ろうばい》した。「無理です。まぐろ一本ダメにしてしまいます。アジで練習重ねますから」

「アジだって大事な魚だ」

「はい」

「思ってたより根性あるよ」

「えっ？」

「すぐに泣きを入れるかと思ったよ。鮮魚の仕事終えた後、惣菜でも働いてるんだって？」

「ええ」

「どうよ」

「どうよって、なにがですか？」

「Aチームが勝つ日は来るのか？」

「もちろんです。生春巻き、結構いけるんですよ」

「Aチームには勝ってもらわないとな。俺と二宮さんは、真剣に応援してっからさ。金さんもたいへんだよな。あれだろ、レシピやなんかを訳してるのは金さんなんだろ」

「訳？」

「そう。陳さんもルブカも日本語の読み書きできないんだから、なにかと不便だろ」

目をむいた。「それ本当ですか？　ルブカさんはスポーツ新聞や週刊誌読んでますよ」

「字が読めなくたって楽しめる種類のページはあるだろ」

参ったな。そんなことさえ気付かなかったのか。

高橋が自身の肩に手を置き、揉《も》んだ。「中身を見る力のないヤツは、印刷されてる数字を信じるしかない。魚の目を見れば新鮮かどうかすぐにわかるもんなんだ。昔の人はきちんと見ていたよ。今は切り身しか食べない客が多いから……それだってちゃんと見れば、品の良し悪しはわかるはずなんだ」手を下ろした。「売れ残った魚を煮たり、ツミレにしたり、フライにして惣菜で売ることは反対だった」

高橋を見つめた。

「だけど上がそうしろって言うもんだから」ゆっくりタバコを吸った。「だから……改ざんした」

「改ざん？」

「逆改ざんだ」バケツの灰皿にタバコを投げ捨てた。「新鮮なものに前日の消費期限シールを付けて、惣菜に回してた」

「えっ？　本当ですか？」

金歯が光った。「それぐらいの抵抗、許されるだろ？」

聡は笑って頷いた。

＊

社員食堂でノートパソコンを睨《にら》みながら、チョココロネを食べた。もちろん太いほうからだ。

「変わった食べ方するって噂を聞いたことあったけど、そのこと？」

顔を上げると、経理の杉本恵と目が合った。「なんです？」

「県庁さんは変な食べ方するって——でもチョコが最後まで残るように、私もそっちから食べるけどな」

「それは多分、焼き蕎麦パンのことだと思います」

「えっ？　焼き蕎麦とパンを別々にして食べるとか？」

「違いますよ」

なんだってそういうくだらない噂を流すんだ？　どうだっていいじゃないか、食べ方なんて。

「これ、コピー」杉本がA４の紙をテーブルに置いた。「ご意見箱に入っていた投書のコピー」隣席に座った。「最近在庫切れがなくていいってさ」

「えっ？」

「四通入ってた。県庁さんに見せようと思ってコピーしたの」

「はぁ」

「ストックルームを整理したからでしょ」

「そう……ですかね？」

「そうよ。今度経理に来たら、おいっしいお茶淹れてあげるからね」立ち上がった。「ご褒美《ほうび》よ」

犬じゃないんだから。

入れ違いにルブカと二宮が現れた。二宮が聡の三つ隣のテーブルに白い布を広げる。

ルブカが窓の側の観葉植物を動かした。白い布が敷かれたテーブルに、三脚を立て、カメラの用意をはじめた。ピカッ。ストロボを光らせた。

二宮が言った。「県庁さん、そのパン、あとどれくらいで食べ終わる？」

「なんでしょう」

「悪いけどちょっとルブカさんを手伝ってくれない？」

「あぁ。いいですよ」コーヒー牛乳で流し込み、立ち上がった。

「本部には内緒で、そろそろ年末年始用のチラシを作って買物籠に入れようと思ってるの。なのに今日はパートが三人、風邪で休んじゃって、レジに人がいなくてね。ルブカさんを手伝えなくなっちゃったのよ。悪いけど、あとよろしく」社食を出て行った。

布の上を覗くと、握り寿司パックが置かれていた。

「ケンチョウさん、こうやります」

ルブカがハケを手に持ち、小皿の水に毛先を浸した。次にハケをまぐろの上でひと滑りさせた。

おぉ。途端に瑞々《みずみず》しく新鮮な姿になった。

「こうして全部のネタに塗ってください。それで写真撮ります」

「あぁ」

鯛、平目、トロ、イカ、甘エビに塗った。

「見てください」ルブカがファインダーを指差した。

ファインダーから覗くと、ネタは輝いており、高級寿司店の握りのようだった。

「こうやって写真撮るんですか。実物よりこっちのほうが全然旨そうですね」

「ライティング。ライティング命ですね。トロの脂見えるでしょ。近づくと見えるもの、写真は大きくなる」顔の近くで掌を広げ、徐々に遠ざけた。「虫もそうです。小さい足、動き、はっきり見える」

指で輪を作り、目の前で掲げた。

「はぁ」

「虫の？」

「生きること、命、一生懸命、よっくわかります」

「はい」

「そうですか」

「人間、難しい。写真で大きくしても見えない」聡の胸を指差した。

「あぁ、それはそうですね。本当に。それはよくわかります」

「でも、わかるときもありますよ」

「ん？」

「ケンチョウさんの胸、わかるかもよ」

「そう……ですか？」

「そう、今はね、たぶん」腕を組んだ。「Aチーム、きっと勝つ。たぶん陳さんもそう思ってる」

ゆっくり瞬きをしながらルブカを見つめた。

「ケンチョウさん、箸でトロを摘んでください。動かさない。ストップね」

聡は跪《ひざまず》き、割箸でトロを摘んだ。

ルブカが背後から覆い被さるようにしてレンズをかまえる。

「ルブカさん、まだですか？　腕がぷるぷるしてるんですけど」

「ストップね。もうダメね。しっかりね」

＊

貧乏揺すりをしながら、ベンチで待った。

遅いな。早く来いよな。腕時計を見ると、二時五分だった。

はぁっと息を吐いてみた。白い固まりが顔の前で生まれて消えた。今夜はこの冬はじめての雪が降るかもしれないと地元新聞に書かれていたっけ。

もう来てもいいころなんだが。裏の駐車場のベンチに座ってから二十分が経つ。足元に視線を動かすと、アスファルトの切れ目から顔を出す雑草が目に入った。

思い付いて、上着のポケットに手を入れ、キリンの置物を取り出した。親指と人差し指で摘み、頭上に掲げて光を集めた。

ガタンッ。

来た。キリンをポケットに仕舞った。

部長と犬の出勤だ。部長が背中を反らして、腰を叩きはじめると、犬がリヤカーから飛び降りた。
一、二、三、はい。心のなかで掛け声を呟《つぶや》きながら立ち上がった。息を吸って、吐いた。
近づいて来る部長に、聡は言った。「あの、いつも黒い容器のほうを持ち帰らないのは、どうしてですか？」

部長が立ち止まった。

「僕はＡチーム――黒い容器の担当なんです。不味《まず》いですか？」

頭を掻いた。「全部持って帰ったほうがいいなら、そうするよ」

「いえ、そういう意味ではないんです。知りたいんです。なぜ黒い容器の惣菜は売れないのか」

「高いんだろ」

「でもあなたは、値段は関係ないのに持ち帰らない」

「まぁ」

「どうしてです？」

困ったように顔をしかめた。「……味」

なんだろう。すっごい胸が痛い。小さな穴が開いたみたいに、ぺしゃんこになっていく。

「濃くしなきゃ」

「えっ？　味が薄いですか？　僕は薄いとは思わないんですけどね。本の通りだし」

「それ、家で作る場合の本だろ」

「そう、かな」

「家で作ってすぐに食べるときの味付けと、持ち帰って食べるもんが同じ味じゃだめだ。濃くするんだよ。気持ちね。その加減が難しいんだけどさ」

「あぁ」

「できたてのを試食してるだろ。何時間も経って、冷めたのを、もう一度温め直したモンを味見しなきゃ」

「そっか……」

「すっごい晴れ晴れとした顔しちゃって、大丈夫か？」

「えぇ。大丈夫ですよ。もちろんです。そっか……お客さんが食べるまでには、時間が経っているもんな」頭を下げた。「ありがとうございました」

「いや」仰《の》け反って、後ろに一歩下がった。「別に。礼なんていいけどさ」

6

H駅からバスで十分の住宅街にある、すず子のアパートを訪れた。四畳ほどの台所の奥に六畳の部屋があり、壁の二面には様々な風合いの簞笥《たんす》が連なっていた。買った時期が違うのだろう、痛み具合もまちまちだった。千代紙が貼られたボックスの上には、異国で買ったと思われる小さな置物がびっしり並んでいた。

「日本茶でよろしいかしら」すず子が尋ねた。

「どうかおかまいなく」和菓子の包みをテーブルに置いた。「年末のお忙しい時期に押しかけまして申し訳ありません。これ、つまらないものですけど」

「あらまぁ、すみませんねぇ。これのことなの？」惹《ひ》き付けられたように折り詰めを見つめた。「味見をして欲しいっていうのは」

「いいえ、違うんです。味見をしていただきたいのは、こっちの鶏の唐揚げとカボチャの煮付けと肉じゃがなんです」

野村が同じメニューで違う味のものを出したらどうかと言ってきた。悪くないアイデアなので、泰子もAチームに協力し、試作品を様々な年齢の人に食べてもらうことになった。

最近の野村は冴えていた。先週は、夜八時を過ぎたら、弁当売場の近くに牛乳やパン、缶ビール、カップ麺《めん》をまとめて置いたらどうだと言ってきた。料理をしない独身者は広い店内を一周させられるのが嫌だと思うというのだ。早速翌日、一メートル五十センチの高さのスチールラックを用意し、独身者の今晩の夕食と夜食、明日の朝食に相応《ふさわ》しい品を並べた。一気に客単価が上がり、売上が伸びた。元々頭はいいのだから、最終目的地方向へ顔が向くように状況を作ってやれば、いい結果を出せるかもしれない。

その前も消防署から書類のやり直しを命じられたときには、本橋より怒っていた。現場のことをなにもわかっていないと激怒し、あの本橋になだめられていたっけ。

ここ一か月、全スタッフが協力的になっている。リストラの話をちらつかせた途端、仕事ぶりが豹変《ひょうへん》した。本当はリスト出しを任されていることは知られたくなかった。でも皆を動かすにはこの方法しかない。このまま突っ走るしかない。店を変えられるのは今だけだろう。あと四か月で売上を伸ばして、一人もリストラせずに済ませたかった。

すず子が小さく手を叩いた。「まぁ、豪勢だこと。でも私なんかでよろしいんですか。グルメじゃありませんのよ、私」

「普通の方に——あっ、ごめんなさい。すず子さんは普段とても美味しいものばかり食べていらっしゃるとは思いますが——」

「かわいいわね」丸く微笑んだ。

「はっ？」

「泰子さんってかわいい。慌てて弁解しちゃって。そういうところ、もっと見せたほうが、おモテになってよ」

かわいい？

「きっちりさんがちょっとヌケたことをしたとき、殿方はかわいいって思うらしいですから」

今だかつて男にモテたいと思ったことがない。どうせマイノリティーだ。

座椅子の背に掛かっていた、透かし編みのカーディガンを羽織った。「俳句の調子はどうです？」

「あまり」

「そうなの？」

「はい。何枚か捲《めく》るようにしてはいるんですけど」

「気持ちのことかしら」

「はい。相当捲らないと優しい気持ちが出てこないんです。性格が悪いからでしょうかね」

「いいえ。頑張っていらっしゃるからでしょう」

「頑張る？」

「ええ。昔と較《くら》べれば随分良くなったとはいえ、女が一人で生きていくのはたいへんですよ。ましてお子さんがいればねぇ。不安や心細さを剝《む》き出しにしていたら、痛くてしょうがないでしょう。何枚もの気持ちを重ねてガードしなきゃ、毎日は過ごせないわ」

「はぁ」

「あら、ごめんなさい。今日は私の無駄話をお聞きにいらしたんじゃなかったわね」口に掌を当てた。

「ではでは、どれからいただきましょうかね」

＊

「今日は早いんだね」

玄関でブーツを履いていると、背中に学の声がした。

「そう。三が日が明けたから、通常の営業時間になっちゃったのよ。やだ、お餅の食べ過ぎかな。ブーツのファスナーが上がんないわ」

「去年の暮れも上がらなくて、途中までで出勤してたじゃん」

「うるさい。あぁ、もういいや。内側だし、途中まででもいっか。誰も見ないわね」ドアを開けた。

「行ってらっしゃい」

学に見送られて、足取りも軽くスーパーに出勤した。制服に着替えると、すぐに一階のバックヤードに向かった。

加工室の裏にある通路は五十人近いスタッフたちでごった返していた。

野村が前のほうで喋っていた。

「――今年から新しい手順になりますので、皆さん覚えてください。まず納品され、保存室に入った時点でこの書類に時間を打刻します。面倒なことをお願いして申し訳ありませんが、癖をつけるようにしてください。入るときカチャッ、出るときカチャッです。こうすると食品の流れが一目でわかるようになるんです。人手は足りないですし、忙しいですよね。そんなときに負担が増えて、本当に面倒だと思います。ですが、どうかこの手順に慣れてください。この紙が現物です。サンプルを回しますので、ちょっと見てください。一目でわかるように、動物や魚の絵が右上に入ってます。機械にすっと落としてください。タイムカードのようにです。そうすると時間が打刻されます。これは五枚綴《つづ》りになっています。肉の場合で説明しますと、保存室に入ったとき一回押す。で、一番上の紙を外して、機械の横にある状差しに差してください。次に保存室から出るとき、また打刻します。また一番上の紙を外して状差しに差します。次に加工室に入るときに同じことをします。また加工室を出るときに打刻します。紙の右上の絵もどんどん変化していきます。一枚目は牛の絵で、捲ると肉の塊の絵になって、パック詰めの絵になってという具合です。加工室を出た後は店か、惣菜調理室か、いらない部位は廃棄になりますね。つまり行き先は三つになります。この五枚目には切り取り線がありますので――」

野村の言う通りにやってくれるんだろうか。一人もリストラしたくない。そのためには、再査察を一回でパスして売上を伸ばしたい。全員の協力が欲しい。

浅野の姿が見えた。

近づいて声を掛けた。「たいへんだと思うけど、協力よろしくね」

顔をくしゃくしゃにした。「もちろんですよ」

悪魔が笑ってるよ。「皆はどうかしら?」

頷いた。「今度の査察は通らないとヤバいと皆わかってますから、大丈夫ですよ」

「査察が終わった後も引き続きお願いしたいんだけどな」

「大丈夫でしょう」

生まれてはじめて悪魔の言葉を信じたいと思った。

Aチームの惣菜調理室を覗くと、陳とルブカが弁当詰めをしていた。

「お疲れ様。二人は県庁さんの説明を聞かないの？」

ルブカが天を仰いだ。「もうたくさん。五回、六回やりましたよ」

「そうなの？」

陳が言った。「俺たちの前で何回も練習してましたよ」

「練習？」

「皆にどうしたら伝わるか、わかりやすいかって」

「それは……たいへんだったわね」

ルブカが切干大根を弁当の隅に入れた。「たいへんじゃないね。オッケー。ケンチョウさん頑張ってますからね。店のため。クビ切られないため。だから平気。何度も聞いてアドバイスしましたよ。でも今日はもういいね」

陳の横顔に目を向けた。顔が少し綻《ほころ》んでいた。

＊

売場は随分良くなった。商品の比較ポップも好評だ。在庫の補充も順調にいっている。

十二月末に提出した野村の書類は完璧だったようで無事受け取ってもらえた。近いうちに書類通りになっているか再検査に来るだろう。

一階での作業手順の変更にはもっとブーイングが出るかと思っていた。しかし泰子の耳まで届いてこなかった。リストラの噂の効果が継続中といったところか。

あの渡辺が近くの病院に御用聞きに行き、商品を届けるサービスをはじめた。リストラの四文字は人格までも変える大きな力をもっているようだ。

一階の通路で、高橋が発泡スチロール製の容器を抱えていた。

「お疲れ様」

高橋が紙を打刻機に落とした。「よぉ」

「面倒だとは思うけど――」

「いや、生鮮品はこれぐらい時間の管理をしたほうがいいよ」

へ？　そうなの？

「ちょっと来て。見てよ」高橋が鮮魚加工室に泰子を招き入れた。

高橋がガラス窓を横に開けた。

小窓から、二十人程度の客たちに囲まれた野村の背中が見えた。

「料理教室。押し寿司と鯛のカルパッチョの作り方を披露してる」高橋がまな板に魚を置いた。

「なに？　そんなこと県庁さんできるの？」

「失敗例を見せてる」

「そうなの？」

「それから真打《しんうち》が登場するわけよ」自身の鼻を人差し指で叩いた。

「へぇ」

「昨日はイカの塩辛の作り方と、魚を三枚におろすデモンストレーションをしたんだ。客から頑張って声援もらってたよ、県庁さん」

「それって、苛《いじ》めに近くない？」

「なんでよ。県庁さんが言い出したんだから」

「えっ？　そうなの？」

「そう」

「本当に？」

「本当言うと、俺にやってくれって言ったんだ。若い奥さんも自分と同じように、上手く魚を捌《さば》けないだろうから、プロの手さばきを見せてやってくれって」

「それで、なんで県庁さんがやってるのよ」

当然だと言わんばかりに胸を叩いた。「真打がより輝くようによ」

野村の背中に視線を送った。

もしかして——皆が協力的になったのはリストラの恐怖からじゃなかったの？　いややっぱりリストラの噂の影響もあるはずだ。それと野村のひたむきさが加わってさらにってとこかな。

ルブカが野村の前を通り過ぎようとして、足を止めた。しばらく様子を眺めていたルブカが、見かねて野村を手伝いはじめた。

やがて野次馬たちのなかにいた、勤務を終えた従業員たちも、手と口を出しはじめた。

やるじゃない、県庁も。店を変えてる。いや、人を変えてるかも。

7

アスパラガスをベーコンで巻き、爪楊枝で留めて、金に見せた。

「もうちょっと強く巻いてください。焼いてるうちに崩れますね」

「あぁ」

やり直した。

金がボウルを抱えたまま腰掛けた。「Bチームの新メニュー、なんですかね」

聡が安心させるように言った。「大丈夫ですよ。Bチームがどんなメニューを出してきたって。今月は今のところAチームが大きくリードしてますからね。春巻きでしょ、稲荷寿司でしょ、ローストビーフにサーモンサラダ。うちのはどれも美味しいんですから。冷めてもね。部長さんも太鼓判を押してくれましたしね」

「査察、まだ来ませんね。もう一月終わるよ。あんなに急いで書類作ったのに」

「そういうもんなんです、役所っていうところは。自分たちのスケジュールだけで動くんです」

ルブカが大きなあくびをした。

聡が言った。「ルブカさん、疲れましたか？　ここんとこずっとですもんね。今日は早めに終わりにしましょうか？」

「オッケー、大丈夫。ケンチョウさんのほうがずっと働いてる。魚、シュッシュッ」捌く動作をした。

「うまくなりましたか？」

「それが全然。難しいんですよね」

金がエビを湯のなかに落とした。

聡が言った。「五穀米弁当なんですけど、量を減らしてみるのはどうでしょうか？」

陳が水道の蛇口を閉めた。

「でも――五穀米弁当に執着し過ぎかなぁ」

「いいんじゃないの」陳が言った。「五穀米だけじゃなくて、惣菜や白米の容器を入れ子式にして」考えるように、上方に視線を泳がせた。「大きな容器に、好きなものをどんどん入れていって。料金は一定にしたら」

金が言った。「みんな高いおかずばっかり入れますよ、きっと」

陳が苦笑いした。「そっか」

*

生ゴミを粉砕機に落としていると、ルブカが走って来た。

「来た。ついに来たよケンチョウさん」

「どっち？」

「えっと、レスキュー」

「消防が先か……」

いよいよ来た。再査察だ。完璧なはずだが、注意しなくては。役人はなにを言い出すかわからない。

ルブカが言った。「大丈夫。階段、廊下、オッケー。皆頑張った。ケンチョウさん頑張った」

「ん？」

「だから大丈夫ね」

「ありがとう。今何階に？」

「三階」

「あと頼んでいいですか?」

「オッケー」

階段を駆け上がった。

制服を着た男二人が、本橋からの説明を受けていた。二宮の姿もあった。

そっと二宮に近づいた。「どうです?」小声で尋ねた。

「今のところ問題なさそうよ。本橋さんが答えに困ったら手助けしてあげて」聡を前に押し出した。

男が言った。「防火管理者は本橋さんですね」

「はい」

「次の避難訓練はいつになりますか?」クリップボードを構えた。

身体を反らした。「野村さん、いつでしたっけ?」

なんで?「来月……です、か? 二月です」

「そうでした。二月でした」本橋が卑屈な笑いを男たちに向けた。

署員の後について売場へ向かった。振り返ると二宮の姿は消えていた。途端に心細くなった。

売場に入った途端よろめいた。緊張感が店内に充満している。従業員の姿は全く見えないのに、強い気のようなものがあちこちから漂ってくる。これはいったいなんなんだ。

署員が書類を見ながら避難口、消火器の場所を確認して歩く。署員の背中はピンとしていた。それに引き替え本橋の背中は――。この店の代表者なんだから、もっとしっかりしてくれ。堂々としていればいいんだ。役人がなんだっていうんだ。

エスカレーターで二階に降りた。

署員が屈《かが》み込み、エスカレーター横の消火器を確認しているときだった。聡の視界の隅に制服が見えた。二宮がこちらの様子を窺っている。すぐに階段を降りて行った。ふと、消火器がきれいなことに気づいた。二宮が先回りして拭いて歩いているのか——。

一階に降り立ったとき、緊張で胃が宙返りしそうになった。落ち着け、神経質になる必要はない。皆協力してくれている。先週は二回抜き打ちリハーサルを敢行し、完璧だった。

火を使うパン工房と惣菜調理室が念入りにチェックされた。ルブカが自信たっぷりに火の始末の仕方を説明した。金も陳も作業の手を止めはしないものの、背中には緊張が貼り付いているのがわかった。なんだか喉《のど》が渇いてしょうがない。

合格と署員が言ってくれたときには、その場に座り込みたくなった。やっと一つ終わった。次は保健所のチェックがある。

本橋は小躍りして喜んだ。唇を何度も舐《な》めながらありがとうを連発した。本橋の言葉より、皆の笑顔のほうが胸の真ん中をあたたかくした。本橋の視線は、権力のある者にしか向いていない。もっと客やスタッフを見てくれれば……いや、自分もできてないか。

今日は旨いビールが飲めそうだ。

8

二月になっても保健所の査察は入らなかった。

裏の駐車場を横切ろうとしたとき、呼び止められた。

振り返ると、本部の太田彰人《おおたあきと》だった。

「二宮さん、ちょっとよろしいですか？」

「なんでしょう」

「突然押しかけて申し訳ありません。いやぁ、ちょっと教えていただけないかと思いましてね。十一月から三か月連続で大きく売上を伸ばしていますよね。なにがあったのかと思いまして」

泰子は唇を舐めてから言った。「店内をご案内します」

太田と惣菜売場の前に立った。

所がBチームのガラス前で焼き蕎麦を炒めている。その前には客が集まっていた。所がヘラを持った両手を頭上に伸ばし、くるっと回した。

客たちから拍手が起こった。

泰子が説明した。「惣菜売場は、AとB二つのチームに分けたところ、競争し合って売上を伸ばしています。彼女はBチームのリーダーです。八月一日にスタートしたときは圧倒的にBチームが勝ってたんですけど、先月はじめてAチームが勝ちました。それがよっぽど口惜《くや》しかったんでしょう。Bチームのパフォーマンスは過激になりつつあります」

太田とエスカレーターで二階に上ると、手拍子と歓声が聞こえてきた。

仮設ステージでは野村と渡辺がいつものダンスを見せていた。

手作りの木製円形ステージは、高さが十五センチあった。

ハッピーマン役の野村は、全身白タイツ姿で、腰には金色の布を巻いていた。胸にはカタカナでハッピーと書かれ、目と口と鼻だけ開いた白い覆面と、アフロの鬘《かつら》を被っている。フリーマン役の渡辺は、全身を黄色のタイツ姿で覆い、オレンジ色のマントを羽織っていた。

アバの『ギミー・ギミー・ギミー』の曲に合わせて二人が踊る。両手を顔の横でひらひらさせながらボックスを二回。ターンして屈伸。伸ばして右足立ち――息が合っていた。

太田が眼鏡を人差し指で上げた。

ダンスが終わると、拍手が起こり、客から黄色い声援が飛んだ。

フリーマンがマイクを握った。息が少し上がっている。

「さぁ、今日のハッピーマンはなにをくれるのか、尋ねてみよう。ハッピーマーン、今日のプレゼントはなにかな？」

野村が赤い箱からMDコンポを取り出すと、客たちから再び拍手が起こった。

渡辺が言った。「今日はなんと、ハッピーマンからMDコンポがプレゼントされるんですね。それでは、ハッピーマンに選んでもらいましょう」

客たちは一斉に会計時に渡されていたカードの番号に目を落とした。

野村が白い箱のなかに手を入れると、ドラゴンロールが鳴り出した。

泰子はそっと太田の横顔を窺った。

憑《つ》かれたようにステージ上の様子を見つめている。

歓声が上がり、泰子はステージに視線を戻した。

野村が子どもを抱く母親に、MDコンポを渡していた。

母親は野村に握手を求めた。

野村は握手後、子どもの頭をひと撫《な》でするると、颯爽《さっそう》とステージから去った。

渡辺が話し始めた。「ハッピーマンは今度はいつ来てくれるのでしょうか？　必ず来ます。でもいつかはわかりません。ですから皆さん、毎日お店に来なきゃダメですよ。さぁ続きましてこちら、左手にご用意してありますのは――」

本橋が両手を頭上に高く伸ばして、箱を掲げた。

「文房具用品の摑《つか》み取りです。百円で一回。摑んだものはすべてお客様のものです。そこのお母さん。お母さんみたいに、一度握ったら放さないタイプにはオススメです。それからお楽しみ袋もご用意しております」化粧品売場前に並ぶ二台のワゴンを指し示した。「限定二十個です。今日の中身は財布と、マフラー、手袋が入った、総額一万円相当の品をたったの千円でお買い求めいただけます。一階の食料品売場では、むきエビの詰め放題を一パック二百九十八円でご提供いたします。こちらも無くなり次第終了ですから、お早めにお買い求めくださいね。それから――」

太田がはっとした様子を見せた後、携帯で撮影をはじめた。

「売上が伸びているのはこういった――なんて言ったらいいか――パフォーマンスのせいなんですか？」携帯を胸ポケットに仕舞った。

「いえ。これだけではありません。いろんな改善策を実行した結果です。本橋さんは今忙しいようなので、私でよろしければ店内をご案内しますが」

「是非お願いします。こういったことは」ステージに目を向けた。「二宮さんのアイデアなんですか？」

「いいえ。皆のアイデアです。うちの店はチームワークがいいんです。いろんなアイデアが集まってきて――それぞれが持ち味を活かして頑張っています。それに――」

「リストラのことを牽制《けんせい》してるんですか？」

泰子は息を呑んだ。

「三か月連続昨年対比百二十パーセントの売上を出すに至ったいろんなアイデアというのを、是非拝見させてください。まずは現状を把握させてください」

＊

守衛の長島から動きのおかしい女がいると連絡を貰ったのは、二月の最後の週末だった。

泰子はすぐに一階の売場に出た。

長島がカートを片付けながら、目で女を示した。

黒い膝丈《ひざたけ》のコートにグレーのパンツをはいている。籠にはミニトマトとお握りが入っている。泰子はブロッコリーの棚を整理するふりをして、女の様子を窺った。

女はポップをしばらく眺めた後、一番手前のほうれん草を籠に入れた。

怪しい。やはり食品Gメンだろうか。普通の客は商品を見て、プライスを見る。それから少し考える。冷蔵庫の中身を思い出したり、明日のメニューまで頭に浮かべるからだ。次にどの商品にするか選ぶ。一番新しくて綺麗で、大きくて、色艶のいいものを籠に入れる。この順番がオーソドックスだ。しかしこの女は違った。ポップを先に見た。ポップには原産地と生産農家の顔写真、成育方法が書かれている。

泰子は総合カウンターに行き、従業員にだけわかるアナウンスをかけるよう頼んだ。柱に隠れて、ポケットの受信機のスイッチを入れ、イヤホンを耳にした。

BGMが切れ、館内にアナウンスの声が響く。「お客様のお呼び出しを申し上げます。東京からお越しの清水様、お言伝《ことづて》がございます。一階総合カウンターまでお立ち寄りください」

泰子は小型マイクに向かって囁いた。「Gメンと思わしき女発見。黒いコートにグレーのパンツ。籠にはミニトマト、お握り、ほうれん草」

すぐに高橋の声がイヤホンから聞こえてきた。「現在生ガキを物色中」

鮮魚売場に向かった。

途中の惣菜売場の前で立ち止まった。ガラス越しに、野村、金、陳、ルブカが揃って左耳を手で押さえているのが見えた。バカどもが。いかにもイヤホン押さえてるって格好すんな。泰子は身振りで、左手を耳から離せと指示した。四人がはっとした顔をして、手を下ろした。

「刺身の盛り合わせを籠に入れた」高橋が言った。

四人が一斉に左耳を押さえた。

あぁ、もう。うっちゃっとけ。

女を探しに向かった。

泰子と同年代に見える女は、合《あ》い挽《び》き肉のパックを品定めしていた。

女がくるりと向きを変えた。

泰子は慌ててはんぺんを手に取った。

周りに目を向けると、十人ほどのスタッフが不自然な動きで棚の食品を並べ替えていた。バレるっちゅうの。

泰子が指示を出した。「女の周辺にスタッフ多過ぎ。バレるから、皆散って」

野村の声が聞こえて来た。「惣菜売場に向かってます。どうしましょう。商品を片付けますか？」

なに弱気になってんだか。振り向くと、グレープフルーツを手に立つ、野村の姿が遠くに見えた。

「問題ない」

「自信もってよ」

「どれを調べられたって平気でしょ」

イヤホンからスタッフたちの声が聞こえてきた。

「打刻してるもん」

「だから平気だよな」

「文句言われやしないって」

「もしダメだったら、もう一回受ければいいんだろ」

「誰よ、そういう縁起でもないこと言うの」

泰子の胸がふんわりした。

いい年して、こういうの嫌いじゃないんだよな。苦笑いして、女の姿を追った。

女はAチームの濃い味の天津丼《てんしんどん》と薄い味の大学芋を籠に入れた。

女の後ろを野村がガクガクの足さばきで横切る。

女はその後、十分ほどかけて店内を一周し、会計を済ませると、そっと店を出て行った。違ったのか？　女の後に続き外に出た。

女は、入口横の人工池を眺める男に近づくと、話しかけた。やっぱり本物だ。男と女は、二人揃って再び店に入っていった。

マイクに向かって言った。「女は本物。これから男と二人で加工室や調理室を見学すると思う。各自最終チェックよろしく」

「了解」

「了解」

「よろしくお願いします」野村の声が懇願していた。

「何度も練習したんだから大丈夫だ。任せとけって」高橋が言う。

「俺たちはどうすればいい？」

泰子は尋ねた。「誰？」

「渡辺」

「大丈夫よ。二階、三階の人はいつも通りで」

「そっか。なんかあったら言ってくれ」

「今日はどっかに消えんなよ」

「誰だ、今言ったの。ま、いいや。県庁さん、あんたしっかりしたもんを作ったんだ。皆もそれを守ってる。どんと構えてればいいんだよ。こういうときこそ、楽しむ気持ち、大切だからさ」

「……はい」

急いで店に戻ると、二人が総合カウンターのスタッフに、本橋の呼び出しを依頼しているところだった。

すぐに現れた本橋は、二人に驚いた顔をして見せた。まぁまぁだ。目玉を激しく動かしながら、Gメンたちをバックヤードへと案内していった。泰子は二人に続いた。

Gメンたちは食品納入後店頭に並び、廃棄されるまでの説明を本橋から受けた。途中何度か言葉に詰まったが、その度に野村からイヤホンを通して指示が出た。

女がビニール袋から合い挽き肉と天津丼を取り出した。いつ納入され、加工されたのかと尋ねた。本橋はちらっと泰子を見た後、パソコンに向かった。通路に点在するデスクにはノートパソコンが乗っている。本橋はバーコードの数字を打ち込み、二人に画面を見せた。さらに部屋を出入りする際に打刻している紙を渡した。女はデジカメでいろんなものを撮影し、男は後日書類で結果を知らせると言った。

Gメンたちを見送るため、本橋と泰子は外に出た。

ぼんやりと、二人の乗った車が駐車場から走り去るのを見届けた。

鳥の声がして、泰子は空を見上げた。濁った空に薄い雲が浮かんでいた。

本橋がマイクに向かって言った。「今帰ったよ。皆お疲れ様」

一斉にいろんな声がイヤホンから聞こえて来た。

泰子は慌ててイヤホンを外した。

店を振り仰いだ。どうか、このまま――。

9

金が走り込んできた。

「どうでした?」聡が尋ねた。

椅子にタン、と音をさせて座ると、呼吸を整えた。「たこ焼き」
「マジで？」
調理室の作業台の周りで待っていた聡、陳、ルブカが唸《うな》った。
三月一日から二十九日の午後三時までの売上合計金額は、Bチームが Aチームより二万円勝ってい
た。この差をもっとあけようと、Bチームがなにかを仕掛けてくると思われた。そこで金にしばらく
女子更衣室に隠れてもらい、情報収集にあたってもらった。
聡は言った。「焼き蕎麦の次はたこ焼きか。まるで縁日の屋台ですね。そのうちカルメ焼きを出す
んじゃないですかねぇ」
三人に睨まれた。笑うところだったんですけどね。
「どうする、ケンチョウさん」ルブカが言った。
聡は腕を組んだ。どうしたら勝てるだろう。なんとしてでも勝ちたい。来月の二十日に県庁に戻る
聡にとって、今月が最後の勝負だった。一月はなんとか勝てたが、二月はあと一歩で負けてしまった。
チーム分けした直後の三か月と較べたら、売上は倍増していた。しかしBチームも数字を伸ばした。
食材の変更でBチームの惣菜単価は一気に上がったが、小分けにしたり、メニューを一新することで
乗り切っていた。惣菜全体の売上は昨年対比百三十パーセント前後で好調だった。戦いは激しさを増
し、呼び込みや試食競争になった。結局、浅野の提案で、先月は呼び込みや試食が禁止になった。競
争は、ケースに並べることと、調理室内で作業をすることに限定された。
単価が低過ぎるので、Bチームはたこ焼きで売上増加を見込んでいるわけではないだろう。調理室
内の活気を見せるための戦術と思われた。

立ち上がり、棚のフックに吊るした売上帳票を手に取り、昨日までの売上の詳細データを目で追った。Bチームの売上ランキング十位には、カジキのパン粉焼きとめんたいポテトサラダが同金額で並んでいた。

腰を下ろし、聡は尋ねた。「勝ちたいですか?」

金が怒ったように言った。「当たり前ね。あとちょっとね」

「では皆さん」大きく身体を前に出した。

三人が顔を近づけてきた。「明日、Aチームは十種類の品だけを作りましょう」

「えっ?」金が小声で言った。「それで、大丈夫ですか?」

「約束では、上位十種類の粗利金額の合計を競うとなっています。三十種類も作れとは、なってないんですよ」

「で?」陳が眉間《みけん》に皺を寄せた。

「明日と明後日は、十種類だけ作りましょう。たくさんの種類を作っても、対象外の売上を増やすだけです。もちろん売上は大事です。店の売上には貢献したい。今までそう思ってやってきました。でも、どうしても今月は勝ちたいんです。来月の十九日に僕は研修が終了します。最後なんです。もちろんリスクはあります。作った十種類の売上が悪ければ、ほかの品でフォローができない。しかし昨日までの売上で負けている今、ここは一発勝負をかけるしかない、と思うんです」

「大丈夫?」金が尋ねた。

「他になにかいい方法ありますか?」見回した。

ルブカは毛深い腕を掻き、金はすがるように陳を見た。

聡は拳《こぶし》を前に突き出した。

空気が止まった。

えっ？　この思いは自分だけだったのか。胸に痛みが走った瞬間、陳がゆっくり右手を挙げ、聡の拳に、拳をぶつけてきた。

ありがとう、心のなかで呟いた。

ルブカが大きくため息をついた後、拳を出してきた。

金が皆の顔を見回してから一度頷き、そっと拳を寄せてきた。

聡は力強く頷いた。

＊

三月の最終日、愕然《がくぜん》として、エスカレーターの横から、Bチームの調理室を眺めた。ピザ生地を人差し指の上で回す所に、ガラス前の客たちは拍手を送っていた。聡は唇を嚙んだ。

昨日の三十日、一日の売上金額はAチームが勝った。十種類しか惣菜類を作らない作戦が功を奏して、トータルでBチームを五万円程度突き放した。最終日の今日も、昨日と同じ作戦で逃げ切ろうと思っていた。ところがBチームも今日は十種類しかケースに並べず、さらにこのパフォーマンスだった。

「すっげぇな、あんたたち」

右を向くと、渡辺と陸がいた。

「本気なんだな」

「当たり前です。絶対勝ちますよ」

「どうやって？　あっちはピザを――うわっ。上に投げたよ。すっげぇな」陸に言った。

「うん」

胃が痛い。もしかすると穴が開いているかもしれない。皆で早出して、残業してメニュー開発して作ってきた。ここで負けるわけにはいかない。

あのサンダルの音が聞こえてきた。

「ちょっと、なにあれ？」二宮が言った。

「勝ちますよ。勝たなきゃならないんです」Bチームを見ながら答えた。

「県庁さんの頭から湯気出てるわよ」

二宮に鋭い視線を投げた。

「ごめん。なんでもない」

調理室から出てきた金が、Bチームの様子を見て、足を止めた。血相を変えて、聡のほうへ走って来た。

「ケンチョウさん、あっち」

聡は頷いた。「今、対抗策を考えています」

どうしたら勝てるだろう。違うな、そうじゃない。店に来た客の気持ちになるんだ。今日はなににしようかとケースを覗いたとき、なにがあったら……。

Aチームのケースに近づき、覗き込んだ。いつもより品数が少ないので、選ぶ楽しさはなかった。

Aチームの調理室では陳とルブカが油揚げに酢飯を詰めていた。はっとして、外に走り出て空を仰いだ。今朝の天気予報では暑くなると言っていた――これだっ。

全速力で高橋の元へ走った。

*

もう限界だった。胃薬を飲んでも、酸っぱい気分は続いたままだった。店の明かりは半分ほどが落とされている。調理室で、今日の売上結果が出るのを皆で待っていた。腕時計を見ると、九時四十五分になっていた。もうすぐ浅野がやって来る。ベニヤ板の向こうでも、同じ緊張感に包まれていることだろう。

作業台に頬杖《ほおづえ》をつき、五センチのキリンを右手で回してもてあそんだ。

高橋に頼んで、寿司ネタを回してもらった。小さな容器にネギトロやちらし、鉄火巻きなどのネタを入れ、十二種類用意した。この容器が三つ入る長方形の容器を、空のままケースに並べた。好きな寿司三種類を選び、自分で容器に入れてもらった。酢の加減が強いものと、弱いものを用意した。一個三百五十円、長方形の容器に三個入れた場合は九百五十円で販売した。爆発的に売れた。暑い日には、さっぱりしたものが売れると、金に教わったことがあった。好きなものを容器に詰めるアイデアは、以前陳が思い付いたものだ。どんどん作り、どんどん売れたが、Bチームの弁当も客の籠に入っていったので、どちらが勝ったかはわからなかった。大丈夫だと思う気持ちの後には、ダメかもしれないと不安になって、千々《ちぢ》に心は乱れた。

ルブカが指の関節をポキポキ鳴らした。

金が日経新聞を畳んだり、広げたりを繰り返す隣で、陳は腕を組み、目を瞑っていた。

「あっ」金が声を上げた。

浅野が帳票を手に、店に立っていた。

四人とも無言でぞろぞろと店に出た。

デブモニも緊張した顔で出てきた。

浅野が皆を見回した。「皆さん、今月もご苦労様でした。売上は目標をまたまた達成しまして、昨年対比百二十六パーセントとなりました。さて、報奨金対象の惣菜の売上ですが」

浅野の口元をじっと見つめた。

「三月の勝利は」一拍置いた。「Aチームです」

えっ？

音が消えた。

肺に空気がゆっくり入っていく。

突然音が耳に流れ込んできた。

ルブカが雄叫《おたけ》びを上げ、金が泣き笑いしていた。

その隣で陳が満足そうに笑っていた。

ぐっときた。

陳が拳を出し、そこにルブカと金が拳を合わせ、聡を見た。

聡はすっと拳を前に出し、皆の拳に寄せた。四つの拳は勢い良く頭上に挙げられた。

10

当選者にガーデニングセットをプレゼントしたハッピーマンがステージから姿を消した。

泰子はフロアの隅の柱に寄りかかり、客たちの様子を窺った。五、六歳の男の子が母親の腕を引っ張りながら、ハッピーマン、ハッピーマンと節を付けて歌っている。

ステージに目を戻すと、渡辺が前列の客をいじって笑わせていた。

泰子は社員通用口の扉を押した。そのまま足を進めていると、後ろでゆっくり扉が閉まった。突然おとずれた静寂に泰子は足を止め、振り返った。なぜか胸がいっぱいになった。

身体を反転させ通路を進み、社食に入った。

一番手前のテーブルで、野村が鬘《かつら》とマスクを脱ぎ、白タイツ姿で汗を拭《ぬぐ》っていた。

「お疲れ」

野村が手を止めた。「お疲れ様です」

「ラストステージ、良かったわよ。これ、差し入れ」焼き蕎麦パンをテーブルに置いた。

「ありがとうございます――あっ、紅生姜がない」

「抜いて作ってもらったの」

「ありがとうございます」

「それだけは変わらなかったわね」

「紅生姜ですか？」

「そう」

「食べ物の好き嫌いはですね……これ以外は変わりましたか？」

「そう……思う」斜め向かいに座った。「あっという間に一年経ったわね」

「そうですね。僕の研修先がこの店で良かったと、今は思ってます」

「今は、ね。役所に戻っても、今の調子でね。私らの生活を良くして頂戴よ。県民の期待の星なんだから」

恥ずかしそうに目を逸《そ》らした。「リストラの話はどうなりました？　売上が伸びてるんだから、大丈夫ですよね」

「とりあえずは延期になった。でも本橋さんの店長代理の期限まで延長されちゃって、こっちはグレちゃいそうよ」

声を上げて笑った。「本橋さんと二宮さん、いいコンビですよ」

「やめてよ、それ」

「ハッピーマンは誰が継ぐことになったんですか？　一時本橋さんの名前が挙がってましたよね」

「ハッピーマンは誰も継がないわよ。新キャラ出すわ。ハッピーマンはね、永久欠番なの」

野村は目を丸くした後、すっと穏やかな表情に変えて、微笑んだ。

なんか卒業式みたいじゃない。なんでよ。

野村の目がキラリと光った。「いくら儲かったんです？」

「なに？」

「Aチームに賭けてたんですよね、二宮さんと高橋さん。二人で山分けですか？」

うっ。誰だよ、そういうことチクるヤツ。

「それがさ、ナベちゃんもAチームに賭けててさ。それに——」

「それに？」

「陸君も賭けてたのよ、Aチームに。小学生を賭けに参加させせんなっていうのよ。それにさぁ——」

「まだいるんですか？」

「ナベちゃんたら、病院の患者さんたちも賭けに参加させてたのよね」

野村が仰け反って笑った。

エピローグ

写真の裏に両面テープを貼った。シールを剝《は》がして、Ａ４の書類に貼付《ちょうふ》し、聡は満足げに頷いた。

産業振興課の聡のデスクは書類のファイルで囲まれている。Ａ４サイズのノートパソコンを閉じたときの蓋《ふた》の上だけが唯一の平らな場所だった。

右隣の係長のデスクは、聡よりも多くの書類に侵食されていた。

窓を背にした課長席の背もたれには、黒いベストがかかっている。課長と係長は二時間前から会議室で密談中だ。

聡は一昨日、開業資金の融資申し込みをしてきたベンチャー企業の事務所に出向き、ビジネスプランを聴取した。五人で立ち上げた有限会社は、高齢者や障害者が脱ぎ着しやすい服の製造販売を計画していた。お洒落《しゃれ》をしたいのに、背中に手が回らないため、ワンピースを着られなかった人に服を提供したいのだと、聡と同い年の社長は訴えた。

いける。聡は確信した。必要としている人がいるビジネスは当たる。

デザイナーや縫製担当者からは、熱い気持ちがビンビン伝わってきた。デジタルカメラで商品や製作風景を撮影した後、デパートと商店街を歩いてみた。高齢者用の服の現状もカメラに収めた。

提出された書類に聡が加筆し、この写真を添付することにした。課長と係長が戻って来たらすぐに、二人を説得し、稟議《りんぎ》書を回したい。

正面の壁に掛けられたホワイトボードに目を向けた。会議はもうすぐ終わる予定だ。不備な点はないか、もう一度書類に目を通した。

閃《ひらめ》いて、引き出しから付箋《ふせん》を取り出し、書類の右上に裏から貼り付けた。

「よっ」

背中を叩かれて、顔を上げた。

桜井が左隣の席に座った。「リハビリできたか?」

「リハビリ?」

「そう。一年間、民間研修で魂をすり減らしただろ。退院したばかりの病人みたいなもんだ。県庁に戻って——一週間だろ。社会復帰できたか?」

眉を顰《しか》めた。「魂をすり減らしてなんかいないよ。洗われて、新鮮な空気を入れてもらったようなもんだ。そっちはどうだ?」

辺りを窺って、声を潜《ひそ》めた。「なんでもかんでも男女平等だとよ。うんざりだ。それ、なんだ?」

聡が手にしている書類を顎で指した。

「これか? すっごいよ。絶対成功すると思うんだ。いくつになっても好きな格好をしたいだろ。だけど、ボタンをはめることさえ難しい人がいっぱいいるんだよ——」

右手を挙げて、話を遮った。「それのことだよ、聞いたのは」

「なに?」

「その付箋」覗き込んできた。「なんだ、これ。やる気って」

「すっごいあるんだよ、やる気がさ。だけど定形書類からはわかりにくいんだよな、可能性とか、情熱なんかは。だからやる気の欄を作って、二重丸と僕のハンコを押してみたんだ」

「お前……変わったな」

「そうか？　だとしたら……嬉しいよ」

課長と係長が揃って戻って来た。

聡は書類を持ち、すっくと立ち上がった。

＊この物語は、フィクションです。本文に登場する
人物や組織は、現実のものではありません。

著者／桂　望実（かつら　のぞみ）
作家。一九六五年東京都生まれ。大妻女子大学卒業。会社勤務、フリーライターを経て、二〇〇三年一月『死日記』でエクスナレッジ社「作家への道！」優秀賞を受賞しデビュー。他の作品に『ボーイズ・ビー』（小学館）がある。

編集　菅原朝也
協力　渡辺安奈
校正　高瀬陽子
制作企画　粕谷裕次
資材　横山　肇
制作　山崎法一
宣伝　庄野　樹
販売　新里健太郎

県庁の星

二〇〇五年　九月二〇日　初版第一刷発行
二〇〇六年　一月一〇日　第五刷発行

著　者／桂　望実
発行者／佐藤正治
発行所／株式会社小学館
〒一〇一-八〇〇一東京都千代田区一ツ橋二-三-一
電話　編集　〇三-三二三〇-五一三四
販売　〇三-五二八一-三五五五

印刷所／文唱堂印刷株式会社
製本所／牧製本印刷株式会社

＊造本にはじゅうぶん注意しておりますが、万一、落丁・乱丁などの不良品がありましたら、「制作局」（電話〇一二〇-三三六-三四〇）あてにお送りください。送料小社負担にてお取り替えいたします。（電話受付は土・日・祝日を除く、九：三〇～一七：三〇です）
Ⓡ本書の一部または全部を無断で複写（コピー）することは、著作権法上での例外を除き、禁じられています。本書からの複写を希望される場合は、日本複写権センター（〇三-三四〇一-二三八二）にご連絡ください。
© Nozomi KATSURA　Printed in Japan
ISBN4-09-386150-1